D1178189
ようこそ実力至上主義の教室へ
衣笠彰梧
トモセシュンサク

「私ね　堀北さんの友達になりたいんだっ」
綾小路 清隆
主人公。入学試験のテストや実技は平均点以下で凡人として扱われている。友達絶賛募集中。
櫛田桔梗
男女どちらに対しても気配りが出来る天使のような美少女。当然ながらクラスでも一番人気。

堀北 鈴音
顔立ちだけを見れば大人びた美人だが、歯に衣を着せぬ発言と行動の結果、友達は無し。
「……それで、オレは一体何をどうすればよろしいんでしょうかね？」
「綾小路くん。苦しみながら後悔するのと、絶望しながら後悔する、あなたはどちらが好みかしら？」

「もしもーし」
ぶおー、という強い風の音と共に通話が繋がる。
それはすぐに音を弱め聞こえなくなる。

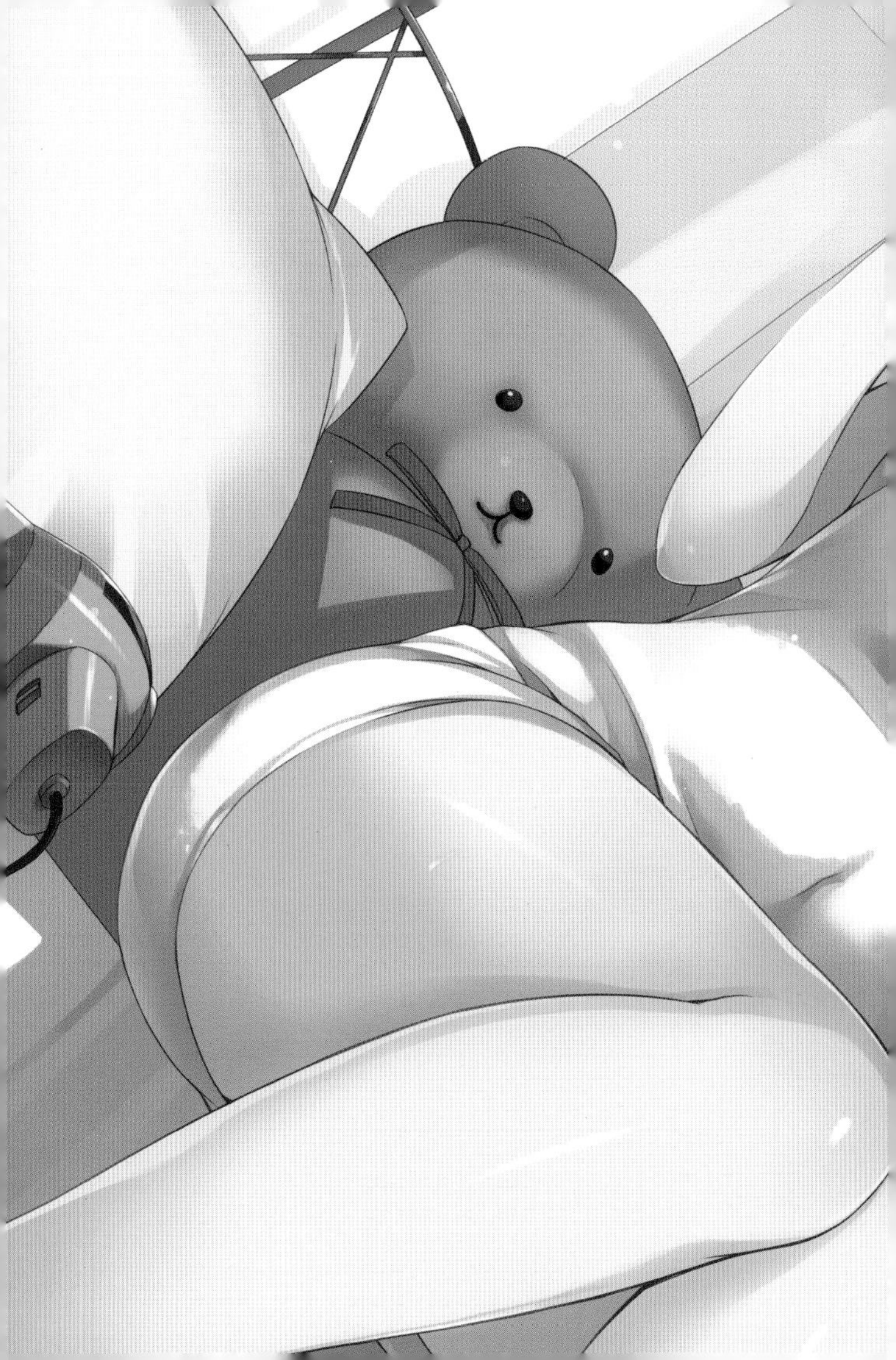

「先生。ひとつオレから質問させてもらってもいいでしょうか」
「堀北に続いて、おまえまで私に質問とはな。一体なんだ？」

「今の日本は、この社会は平等だと思いますか？」

ようこそ実力至上主義の教室へ

ようこそ じつりょく しじょうしゅぎ のきょうしつへ

contents

ようこそ実力至上主義の教室へ

衣笠彰梧

MF文庫J

口絵・本文イラスト●トモセシュンサク

○日本社会の仕組み

突然だが、ちょっとだけオレの出す問題を真剣に聞いて、答えを考えてみて欲しい。

問い・人は平等であるか否か

今、現実社会は平等、平等と訴えて止まない。

男女の間は常に平等であるべきだと叫ばれ、その差を無くそうと躍起になっている。

女性の雇用率をあげよう、専用車両を作ろう、時には名簿の順番にまでケチをつける。

障害者ですらも、差別するべきではないとして『障がい者』と言葉を改めるように世論は働きかけ、今の子供たちは人は皆が平等だと教え込まれる。

それは本当に正しいことなんだろうか。と、そんな風にオレは疑問を抱いた。

男と女は能力も違えば役割も違う。障がい者はどれだけ丁重に表現しようとも障がい者であることに変わりはないのだ。そこから目を背けても何の意味もない。


つまり答えは否。人は不平等なもの、存在であり、平等な人間など存在しない。

かつて過去の偉人が、天は人の上に人を造らず、人の下に人を造らず、と言う言葉を世に生み出した。でも、これは皆平等なんだよと訴えていた訳じゃない。

そう、この有名すぎる一節には続きがあることを皆は知っているだろうか。

その続きはこうだ。生まれた時は皆平等だけれど、仕事や身分に違いが出るのはどうしてだろうか、と問うている。そしてその続きにはこうも書かれてある。

差が生まれるのは、学問に励んだのか励まなかったのか。

そこに違いが生じてくる、と綴ってある。それが有名すぎる『学問のすゝめ』だ。

そして、その教えは少なくとも２０１５年を迎えた現代においても何一つ事実として変わっていない。もっとも、事態はより複雑かつ深刻化しているが。

兎にも角にも……オレたち人間は考えることの出来る生き物だ。

平等じゃないからと言って本能のまま生きていくことが正しいことだとは思わない。

つまり、平等という言葉は嘘偽りだらけだが、不平等もまた受け入れがたい事実であるということ。オレは今、人類にとって永遠の課題に新たな答えを見出そうとしていた。

なあ、今この本を手に取って読んでるそこのお前。

お前は将来について、ちゃんと考えたことがあるか？

高校、大学に通う意味って何だろうって想像したことがあるか？

今はまだ漠然としていて、いつか何となく就職してるだろうなんて考えてないか？

少なくともオレはそうだった。

義務教育を終えて高校生になった時にはまだ気が付いていなかった。

ただ義務という言葉が外れ自由になったことだけに喜びを感じていた。

自分の将来が、人生が、その瞬間、進行形で大きな影響を与えていることに気が付いていなかった。学校で国語や数学を勉強することの意味すら理解していなかったんだ。

○ようこそ、夢のような学校生活へ

「綾小路くん、少しいいかしら？」

来た。やはり来た。恐れていた事態が。

さり気なく眠ったフリをしていたオレの元へ、ヤツがやって来た。

内なる心と現実社会について向き合っていた（うたた寝をしていた）オレを呼び覚ます悪魔の登場だ。

脳内ではショスタコーヴィチ作曲の交響曲11番が流れている。魔物に追いかけられ逃げ惑う人々、世界の終わりを告げる絶望感が巧みに表現された、今のオレにぴったりの一曲だ。

目を閉じていても分かる。オレの隣に立ち、奴隷の目覚めを今か今かと待ちわびる悪魔のただならぬ気配が……。さて、奴隷としてこの状況をどうやって打開したものか……。

危険回避のため、脳内コンピューターをフル稼働させ、瞬時に答えを導き出す。

結論……聞こえないフリを決行だ。名付けて『嘘寝』作戦。これでやり過ごす。

優しい女の子なら『もう、しょうがないなぁ、起こすのは可哀想だから許してあげる☆』ってな具合で見逃してくれるはずだ。

あるいは『……起きないとキスしちゃうぞ？　チュッ』とかいうパターンでもオーケー。

「今から3秒以内に起きていることを申告しない場合、制裁を加えることにするわ」

「……何だよ制裁って」

一秒にも満たない間に嘘寝作戦は看破され、オレは武力による脅しに屈する。

それでも顔をあげなかったのは、せめてもの抵抗だ。

「ほら、やっぱり起きていたわね」

「お前を怒らせると怖いことは、もう十分理解してる」

「それは良かった。じゃあ少し時間を貰える？」

「……嫌だと言ったら？」

「そうね……拒否権などありはしないけど、私は非常に不機嫌になるでしょうね」

ヤツはそれから、と更に続ける。

「不機嫌になると、今後綾小路くんの学校生活にも大きな支障をきたすことになるわ。そう、例えば椅子に無数の画鋲が仕掛けられていたり、トイレに入っていると真上から水をかけられたり、時にはコンパスの針が刺さったり。そういう類の現象が、ね」

「それはただの嫌がらせ、もとい虐めじゃねえかっ！　しかも最後のが妙にリアルというか、すでに刺された覚えがあるんですがね！」

オレは、机に俯せていた状態から仕方なく身体を起こす。

真横から長い黒髪をなびかせ、美しくも鋭い瞳をした少女がオレを見下ろしていた。

彼女の名前は、堀北鈴音。高度育成高等学校一年Dクラス、オレのクラスメイトだ。

「安心して。さっきのは冗談よ。真上から水をかけたりなんてしないもの」

「肝心なのは画鋲とコンパスの部分なんだけどな！　これを見ろこれを！　まだ刺された跡が残ってんだぞ！　一生の傷物になったらどう責任取るつもりだ、え？」

オレは右腕の袖をまくり、刺された跡の残った二の腕を堀北の眼前に突き出す。

「証拠は？」

「え――――？」

「だから、証拠は？　あなたは証拠もないのに私が犯人だと決めつけているの？」

確かに証拠はない。針を刺せる距離にいたのは隣の席の堀北だけで、チクッとしたあと確認したらコンパスを手入れしている堀北の姿を見たが、決定的とは言いがたい……。

って、今はそのことよりも確認しなければならないことがあるんだった。

「やっぱり手伝わないとダメか？　改めて考えてみたんだが、やっぱり――――」

「ねえ綾小路くん。苦しみながら後悔するのと、絶望しながら後悔する。あなたはどちらが好みかしら？　嫌がる私を強引に引き戻したのだから、その責任は然るべくして負わなければならない。そうでしょう？」

堀北らしい不条理な二択を突き付けられる。どうやら途中下車は認めて貰えないらしい。

この悪魔と契約したオレの判断ミスだ。諦めて従うことにした。

「……それで、オレは一体何をどうすればよろしいんでしょうかね？」

戦々恐々としながら尋ねる。もはや何を要求されたところで驚きはしない。

全く、どうしてこんなことになったのだろう、と嫌でも思い返してしまう。

この少女と出会ったのは今から丁度2か月ほど前。入学式当日のことだったか……。

1

4月。入学式。オレは学校に向かうバスの中、座席に座りゆらゆらと揺られていた。景色の変わりゆく街の様子を、意味もなく車窓から眺めつつ過ごしていると、バスへの搭乗客は、じわじわと増えていった。

乗り合わせたその殆どの乗客は、高校の制服を身にまとった若者たちだ。

そして気が付くと、仕事に追われフラストレーションを溜めたサラリーマンが、ついうっかり痴漢しちゃおっかな?と間違いを覚えてしまいそうなほどに車内は混雑している。

オレの少し前に立つ老婆なんて、今にも転びそうなほどに足元がフラフラしていて危なっかしい。この乗車率を知ってて乗り込んできた以上自業自得だが。

運よく席を確保できたオレにとっては、混雑などどこ吹く風。

気の毒な老婆のことは忘れ清流の如く清らかな心で目的地への到着を待つことにしよう。

今日は雲一つない晴天で本当に清々しいなぁ、このまま寝てしまいそうだ。

なんていうオレの穏やかな気持ちはすぐに消し飛ばされてしまった。


「席を譲ってあげようって思わないの？」


一瞬ドキッとして、閉じかけていた目を開いた。

え、ひょっとしてオレ怒られた？

そう思ったが、どうやら注意されたのはオレの少し前に座っていた男のようだ。

優先席にドッカリと腰を下ろしたガタイの良い若い金髪の男。というか高校生。彼の真横にはさっきの年老いた老婆。その老婆の隣にはＯＬ風の女性が立っている。

「そこの君、お婆さんが困っているのが見えないの？」

ＯＬ風の女性は、優先席を老婆に譲ってやって欲しいと思っているようだった。

静かな車内でＯＬの声は良く通り、周囲の人たちから自然と注目が集まる。

「実にクレイジーな質問だね、レディー」

少年は怒りや無視、あるいは素直に従うのかと思ったが、そのどれでもなくニヤリと笑って足を組み直した。

「何故この私が、老婆に席を譲らなければならないんだい？　どこにも理由はないが」

「君が座っている席は優先席よ。お年寄りに譲るのは当然でしょう？」

「理解できないねぇ。優先席は優先席であって、法的な義務はどこにも存在しない。この場を動くかどうか、それは今現在この席を有している私が判断することなのだよ。若者だから席を譲る？　ははは、実にナンセンスな考え方だ」

何とも高校生らしくない喋り方だ。髪も金髪に染められていて、場違い感がある。

「私は健全な若者だ。確かに、立つことに然程の不自由は感じない。しかし、座っている時よりも体力を消耗することは明らかだ。意味もなく無益なことをするつもりにはなれないねぇ。それとも、チップを弾んでくれるとでも言うのかな？」

「そ、それが目上の人に対する態度!?」

「目上？　君や老婆が私よりも長い人生を送っていることは一目瞭然だ。疑問の余地もない。だが、目上とは立場が上の人間を指して言うのだよ。それに君にも問題がある。歳の差があるとしても、生意気極まりない実にふてぶてしい態度ではないか」

「なっ……！　あなたは高校生でしょう!?　大人の言うことを素直に聞きなさい！」

「も、もういいですから……」

ＯＬはムキになっていたが、老婆はこれ以上騒ぎを大きくしたくないのか。手ぶりでＯＬをなだめるが、高校生に侮辱され彼女は怒り心頭のようだ。

「どうやら君よりも老婆の方が物わかりが良いようだ。いやはや、まだまだ日本社会も捨てたものじゃないね。残りの余生を存分に謳歌したまえ」

無駄に爽やかなスマイルを決めると、少年はイヤホンを耳につけ爆音ダダ漏れで音楽を聞き始める。勇気を出し進言したOLは、悔しそうに歯を噛みしめていた。

年下に半ば強引に言いくるめられた上、偉そうな態度は癪に障るだろう。

それでも言い返さなかったのは、少年の言い分にも納得せざるを得なかったからだ。

道徳的な問題を除いてしまえば、席を譲る義務は事実どこにもない。

「すみません……」

OLは必死に涙を堪えながら、老婆へと小さな謝罪の言葉を口にする。

バスの中で起きたちょっとしたハプニング。オレは巻き込まれなくて良かったと正直ホッとする。

この騒動は、老人に席を譲るとか譲らないとか、そんなことはどうでもいい。

自我を貫いた少年の勝ちで終わった。誰もがそう思った時だった。

「あの……私も、お姉さんの言う通りだと思うな」

思いがけない救いの手が差し伸べられた。その声の主はOLの横に立っていたようで、思い切って勇気を出した様子で少年へと話しかける。オレたちと同じ高校の制服だ。

「今度はプリティーガールか。どうやら今日の私は思いのほか女性運があるらしい」

「お婆さん、さっきからずっと辛そうにしているみたいなの。席を譲ってあげてもらえな

いかな？　その、余計なお世話かもしれないけれど、社会貢献にもなると思うの」

　パチン、と少年は指を鳴らした。

「社会貢献か。なるほど、中々面白い意見だ。確かにお年寄りに席を譲ることは、社会貢献の一環かも知れない。しかし残念ながら私は社会貢献に興味がないんだ。私はただ自分が満足できればそれでいいと思っている。それともう一つ。このように混雑した車内で、優先席に座っている私をやり玉にあげているが、他にも我関せずと居座り黙り込んでいる者たちは放っておいていいのかい？　お年寄りを大切に思う心があるのなら、そこには優先席、優先席でないなど、些細な問題でしかないと思うのだがね」

　少女の思いは届かず、少年は堂々とした態度を終始崩すことはなかった。ＯＬも老婆も、続ける言葉はなく悔しさを噛み殺す。

　しかし、少年に真っ向から立ち向かった少女がそれで挫けることはなかった。

「皆さん。少しだけ私の話を聞いて下さい。どなたかお婆さんに席を譲ってあげて貰えないでしょうか？　誰でもいいんです、お願いします」

　この一言を絞り出すのに、どれだけ勇気と決断、そして思いやりがいることか。けして容易いことじゃない。その発言で少女は周囲から痛い、鬱陶しい存在だと見られてしまうかもしれないのだ。しかし少女は、臆することもなく真剣に乗客へと訴えかけた。

　オレは優先席じゃないが老婆の近くの席に座っていた。ここで手を挙げ、どうぞと言えばそれでこの騒動は一件落着。お年寄りもゆっくりと腰を落ち着けられるだろう。

だけどオレも周りの人間と同じように動かなかった。動く必要がないと、そう判断していたからだ。さっきの少年の態度や言動には、やや引っかかるところもあるが、概ね間違ってはいないんじゃないかと結論づけていた。

今の老人たちは、確かに日本を支えて来た紛れもない功労者だろう。

しかしオレたち若者は、その日本をこれから支えるための貴重な人材だ。

年々進む高齢化社会を踏まえれば、その価値は以前よりも高まっていると言える。

なら、その老人と若者、果たしてどちらが今必要とされているかは考えるまでもない。

まぁ、これもまた完璧な回答ではないか。

何となく、周囲の人間はどうするんだろうと少し気にはかかった。辺りを見渡すと、大体は見て見ぬふり、あるいは迷っている素振りを見せる人たちの二極だ。

しかし――――オレの隣に座っていた少女はまるで違っていた。

この喧騒の中、まるで場に流されることなく無表情で過ごしている。

その異様さに思わずジッと見てしまっていると、一瞬だけ少女と目が合った。それは悪く言えばお互いの意見が一致していたことを示していた。どちらも席を譲る必要なんてないと考える者の気配。

「あ、あの、どうぞっ」

少女の訴えから程なくして一人の社会人女性が立ち上がった。老婆の近くに居た彼女は、居(い)た堪(たま)れなくなったのか席を譲ったのだ。

「ありがとうございますっ！」

少女は満面の笑みで頭を下げると、混雑をかき分け老婆を空いた席へと誘導した。

老人は何度も感謝しながら、ゆっくりとその席に腰を下ろす。

それを横目で見届けると、腕を組んで静かに目を閉じた。

それから程なくして目的地に着くと、高校生たちの後ろについて地に降り立った。

バスを降りると、そこには天然石を連結加工した作りの門がオレを待ち構えていた。

バスから降りた、制服に身を包んだ少年少女たちは全員この門をくぐり抜けていく。

東京都高度育成高等学校。日本政府が作り上げた、未来を支えていく若者を育成する、それを目的とした学校。今日(きょう)からオレが通うことになる場所だ。

一度立ち止まり、深呼吸。よし、行くか！

「ちょっと」

勇みの一歩を踏み出そうとした瞬間、真横から話しかけられ出鼻を挫(くじ)かれた。

オレは先ほど隣に座っていた少女に呼び止められたのだ。

「さっき私の方を見ていたけれど、なんなの？」

しっかり目を付けられていたってことか。

「悪い。ただちょっと気になっただけなんだ。どんな理由があったとしても、あんたは最初から老婆に席を譲ろうなんて考えを持っていなかったんじゃないかって」

「ええそうよ。私は譲る気なんてなかった。それがどうかしたの？」

「いや、ただ同じだと思っただけだ。オレも席を譲るつもりはなかったからな。事なかれ主義としては、ああいうことに関わって目立ちたくない」

「事なかれ主義？　私をあなたと同じ扱いにしないで。私は老婆に席を譲ることに意味を感じなかったから譲らなかっただけよ」

「それ、事なかれ主義よりひどいんじゃないか？」

「そうかしら。自分の信念を持って行動しているに過ぎないわ。ただ面倒事を嫌うだけの人種とは違う。願わくばあなたのような人とは関わらずに過ごしたいものね」

「……同感だな」

ちょっと意見を交わしたかっただけなのに、こう言い返されて良い気分はしない。

オレたちは互いにわざとため息をついて同じ方角へと歩き出した。

2

入学式は好きになれない。そんな風に考えている一年生は少なくないだろう。

校長や在校生のありがたいお言葉に煩わしさを感じたり、整列だの立ちっぱなしだの、面倒な事が多いから邪魔臭く感じてしまう。

けど、オレが言いたいのはそういうことだけじゃない。

小、中、高校の入学式は、子供たちにとって一つの試練のスタートを意味する。

学校生活を満喫するために必要不可欠な友達作りが出来るかどうか、この日から数日に全てがかかっている。これに失敗すると、悲惨な3年間が待っていると言えるだろう。

事なかれ主義のオレとしては、それなりの人間関係を築きたいと思っているのだ。

一応前日、不慣れなりに色々とシミュレートはしてみた。

明るく教室に飛び込んで、積極的に話しかけてみようかな？　とか。

こっそり紙に書いたメールアドレスを渡して、そこから仲良くなってみよう、とか。

特にオレの場合、今までと大きく環境が違う完全なアウェー状態。孤立無援。食うか食われるかの戦場に単身乗り込んできた形なのだ。

ぐるりと教室を見渡し、オレは自分のネームプレートが置かれた席へと向かった。

窓際近くの後ろの方の席。一般的には当たりと言っても良い場所だ。

教室の中を見る限り、登校している生徒は現在半分とちょっとくらいか。

大体は席について、一人で学校の資料を見たりボーっとしたりしているが、一部は前からの知り合いなのか、それとも既に仲良くなったのか世間話をしている様子。

さてどうしたもんか。この空いた時間で行動を起こして、誰かと親しくなってみるか？

丁度前の方の、太った少年は一人で寂しそう（勝手な想像）に背中を丸めていた。

誰か僕とお話しして友達になってよ！　というオーラを出している（勝手な想像）。

しかし……いきなり話しかけられたら相手も困るだろうしな。

機が熟すのを待つか？　いや、気付いた時には敵に囲まれ、孤立させられている可能性は大いにある。やはりここは自分から……。待て待て早まるな。迂闊に見知らぬ生徒の懐に飛び込んだら、返り討ちにあう危険性だってあるじゃないか。

あかん、負のスパイラルや……。

結局誰にも話しかけられず、順当に孤立していく流れに陥っている。

あいつまた一人なん？　クスクス、みたいな？　そんな幻聴まで聞こえてくる始末。

友達ってなんなんだろうな。一体どこからが友達なんだ？　一緒に飯を食うようになったら？　それとも連れションとか行くようになった時、初めて友達になれるのか？

考えれば考えるほど、友達って何だろう。とか深い？部分を探り出す。

――友達を作るのって物凄く大変で面倒臭いな。そもそも友達ってこんな風に狙って作るもんなのか？　もっとこう、自然と人間関係が形成されて親しくなっていくもんじゃないの？　脳内はわっしょいわっしょいのお祭り騒ぎで、もう支離滅裂だ。

モヤモヤしているうちに、教室はどんどん生徒が登校し密集していく。

ええい仕方ない、ここは当たって砕けるしかないか。

長い葛藤の末、ようやく上がる重い腰。ところが……。

気が付けば、前の席の太ったメガネの男子は別のクラスメイトに話しかけられていた。

どこか初々しく苦笑いを混ぜつつも、そこには新たな友情が芽生えようとしているではありませんか。良かったねメガネくん……。君に最初の友達が出来そうで——。

「先を越された……！」

頭を抱え、自分の不甲斐なさに猛省。

思わず深いため息が腹の底から出る。オレの高校生活はお先真っ暗かも知れない。

気がつくと教室の大半は生徒で埋まり、隣の席に鞄を置く音が聞こえて来た。

「入学早々随分と重たいため息ね。私もあなたとの再会にため息をつきたい気分よ」

隣の席に腰を下ろした生徒は、バス降り場で喧嘩別れしたばかりの少女だった。

「……同じクラスだったなんてな」

確か、1年生のクラスは全部で4つ。一緒のクラスになるのも不思議な確率ではないが。

「オレは綾小路清隆。よろしくな」

「いきなり自己紹介？」

「いきなりって言うけど、会話するの2回目だしな。別にいいだろそれくらい」

とにかくオレは誰かと自己紹介したくて仕方が無かったのだ。たとえこの生意気な少女でも。このクラスに馴染むため、せめて隣人の名前くらい早めに知っておきたい。

「拒否しても構わないかしら？」

「1年間、互いに名前も知らずに隣の席で過ごすのは、居心地が悪いと思うけどな」

「私はそうは思わないわ」

一瞥ののち、少女は鞄を机に置いた。どうやら名前すら教えて貰えないらしい。

少女は教室の様子など全く眼中にないのか、ただお手本のように正しく座っているだけ。

「友達は別のクラスにいるのか？　それともここに進学したのは一人で？」

「……物好きね、あなたも。私に話しかけても面白くないわよ」

「これ以上は迷惑って言うならやめとく」

相手を怒らせてまで、自己紹介させるつもりはない。これで会話は終了だと思ったが、
少女はため息をついた後、気持ちを切り替えたのか、真っ直ぐな瞳をこちらに向けて来た。

「私は堀北鈴音よ」

答えて貰えないと思っていたのに、少女……堀北はそう名乗った。

初めて正面から少女の顔を捉える。

……可愛いじゃん。ていうか、すげぇ美人じゃん。

同じ学年なのに、1つ2つ年上と言われても納得するかもしれない。

それほど、落ち着きのある美人だった。

「一応オレがどんな人間か教えておくと、特に趣味はないけど、何にでも興味はある。友人は沢山いらないが、ある程度いればいいと思っている。まぁ、そんな人間だ」

「事なかれ主義らしい答えね。私は好きになれそうにもない考え方だわ」

「何だろう、オレの全てを1秒で否定された気がする……」

「これ以上不運が重ならないことを祈りたいものね」

「心中察するが、それは叶わないようだぞ」

オレが指さした先、教室の入り口。そこに立っていたのは——。

「中々設備の整った教室じゃないか。噂に違わぬ作りにはなっているようだねえ」

バスの中で、少女とひと悶着起こした少年だった。

「……なるほど。確かに不運ね」

オレたちだけではなく、あの問題児もまた、Dクラスになったらしい。

こちらの存在に気づいた気配もなく、高円寺と記された席へと向かいどっかりと腰を下ろした。ああいう人間でも交友関係は意識するんだろうか。ちょっと観察してみる。

すると高円寺は両足を机の上に乗せ、鞄から爪とぎを取り出し、鼻歌を歌いながら気ままに爪の手入れを始めた。周囲の喧騒や注目など、まるで無いものとして行動している。

あのバスでの発言は、本心からのものだったようだ。

僅か数十秒足らずで、クラスの半数以上が高円寺にドン引きしているのが見て取れた。

あそこまで堂々と自分を貫けるのもすげぇな。

気が付くと、隣の席の堀北は視線を机に落とし、私物らしき本を読んでいた。

しまった、会話はキャッチボールが基本なのに投げ返し忘れた。

これでオレは堀北と友達になるチャンスを1つ潰したことになる。

そっと屈んでタイトルを盗み見ると、『罪と罰』だった。

あれ面白いんだよな。正義のためなら人を殺す権利があるか否か、それを説いている。

悲しいかな、もしかしたら堀北とは本の趣味が似ているのかも。

とにかく自己紹介は済ませたし、隣人として最低限の関係は築けただろうか。

それから数分ほど経って、始業を告げるチャイムが鳴った。

ほぼ同時に、スーツを着た一人の女性が教室へと入って来る。

見た目からの印象はしっかりとした、規律を大事にしそうな先生。歳の頃は30、に届いているか届いていないか。微妙なところだ。それなりに長そうな髪は後頭部で、ポニーテール調にまとめられている。

「えー新入生諸君。私はDクラスを担当することになった茶柱佐枝だ。普段は日本史を担当している。この学校には学年ごとのクラス替えは存在しない。卒業までの3年間、私が担任としてお前たち全員と学ぶことになると思う。よろしく。今から1時間後に入学式が体育館で行われるが、その前にこの学校の特殊なルールについて書かれた資料を配らせてもらう。以前入学案内と一緒に配布はしてあるがな」

前の席から見覚えのある資料が回って来る。合格発表を受けてから貰ったものだ。

この学校には、全国に存在するあまたの高等学校とは異なる特殊な部分がある。それは学校に通う生徒全員に敷地内にある寮での学校生活を義務付けると共に、在学中は特例を除き外部との連絡を一切禁じていることだ。

たとえ肉親であったとしても、学校側の許可なく連絡を取ることは許されない。

当然ながら許可なく学校の敷地から出ることも固く禁じられている。

ただしその反面、生徒たちが苦労しないよう数多くの施設も存在する。カラオケやシアタールーム、カフェ、ブティックなど、小さな街が形成されていると言ってもいい。大都会のど真ん中にして、その広大な敷地は60万平米を超えるそうだ。

そしてもう1つ学校には特徴がある。それがSシステムの導入だ。

「今から配る学生証カード。それを使い、敷地内にあるすべての施設を利用したり、売店などで商品を購入することが出来るようになっている。クレジットカードのようなものだな。ただし、ポイントを消費することになるので注意が必要だ。学校内においてこのポイントで買えないものはない。学校の敷地内にあるものなら、何でも購入可能だ」

学生証と一体化したこのポイントカードは学校での現金の意味合いを持つ。

あえて紙幣を持たせないことで、学生間で起きる金銭のトラブルを未然に防いだり、あるいはポイントの消耗をチェックすることで、消費癖に目を光らせているのかも知れない。

何にせよ、ポイントの全て(すべ)は学校側から無償で提供される。

「施設では機械にこの学生証を通すか、提示することで使用可能だ。使い方はシンプルだから迷うことはないだろう。それからポイントは毎月1日に自動的に振り込まれることになっている。お前たち全員、平等に10万ポイントが既に支給されているはずだ。なお、1ポイントにつき1円の価値がある。それ以上の説明は不要だろう」

一瞬、教室の中がざわついた。

つまり入学したばかりのオレたちは、学校側から10万円のお小遣いを貰ったということだ。さすがに日本政府が関(かか)わっているだけあって大がかりな学校だな。

高校生に与える金額としてはかなり大きいものになる。

「ポイントの支給額が多いことに驚いたか？　この学校は実力で生徒を測る。入学を果たしたお前たちには、それだけの価値と可能性がある。そのことに対する評価みたいなものだ。遠慮することなく使え。ただし、このポイントは卒業後には全て学校側が回収することになっている。現金化したりなんてことは出来ないから、ポイントを貯(た)めても得は無いぞ。振り込まれた後、ポイントをどう使おうがお前たちの自由だ。好きに使ってくれ。仮にポイントを使う必要が無いと思った者は誰かに譲渡しても構わない。だが、無理やりカツアゲするような真似(まね)だけはするなよ？　学校はいじめ問題にだけは敏感だからな」

戸惑いの広がる教室内で、茶柱先生はぐるりと生徒たちを見渡す。

「質問は無いようだな。では良い学生ライフを送ってくれたまえ」

クラスメイトの多くは、10万ポイントと言う大きな数字に驚きを隠せないようだ。

「思っていたほど堅苦しい学校ではないみたいね」

独り言かと思ったが、堀北はこちらを見ていたので話しかけて来たと分かった。

「確かに、何というか物凄く緩いな」

寮生活を強いられることや、敷地内から出られない、連絡を取れないと言う制限はあるが、無償で提供されるポイントや、周辺施設には不満などない。

考え方によっては、楽園とも取れるほど生徒たちは優遇されていると言える。

そしてこの高度育成学校最大の魅力は、進学率、就職率がほぼ100%という部分だ。

国主導のこの学校は徹底した指導を行い、希望する未来に全力で応えると言う。

事実、学校側はその部分を大々的に宣伝し、卒業生の中にはこの学校を出たことで有名になった人物も少なくない。普通どんなに有名で優秀な学校でも、秀でた分野は数限られている。スポーツに特化していたり、音楽に特化していたり。あるいはコンピューター関係だったり。けど、ここはどんなジャンルであったとしても望みを叶えてしまう。

それだけのシステムとネームバリューを持った学校だということだ。

だからこそ、クラスの雰囲気ももっと殺伐としていると思ったんだが、クラスメイトの大半はどこにでも居そうな普通の生徒たち。

いや、だからこそフランクなのかも知れないな。オレたちはもう入学を許された言わば認められた存在。後は平穏無事に卒業まで行き着けば目的は達成されることになるが……本当にそんなことがあり得るのだろうか。

「優遇され過ぎてて少し怖いくらいね」

そんな堀北の言葉を聞き、オレも同じものを感じた。

この学校の詳細は、あまりにヴェールに包まれていると言うか分からないことだらけ。望みを叶える学校だからこそ、そのためには何かリスクがあると思えてならない。

「ねぇねぇ、帰りに色んなお店見て行かない？　買い物しようよ」

「うんっ。これだけあれば、何でも買えるし。私この学校に入れて良かった〜」

先生が居なくなり、高額なお金をもらって浮き足立ち始めた生徒たち。

「皆、少し話を聞いて貰ってもいいかな？」

そんな中スッと手を挙げたのは、如何にも好青年といった雰囲気の生徒だった。

髪も染めておらず、優等生そうだ。表情にも不良のそれは感じられない。

「僕らは今日から同じクラスで過ごすことになる。だから今から自発的に自己紹介を行って、一日も早く皆が友達になれたらと思うんだ。入学式まで時間もあるし、どうかな？」

おぉ……凄いことを言ってのけた。生徒の大半が思いつつも口に出来なかったことだ。

「賛成ー！　私たち、まだみんなの名前とか、全然分からないし」

　1人が口火を切ったことで、迷っていた生徒たちが後に続いて賛成を表明する。

「僕の名前は平田洋介。中学では普通に洋介って呼ばれることが多かったから、気軽に下の名前で呼んで欲しい。趣味はスポーツ全般だけど、特にサッカーが好きで、この学校でも、サッカーをするつもりなんだ。よろしく」

　提案者である好青年はスラスラと、非の打ちどころがない自己紹介をする。

　ほんと大した度胸だな。そして出たよ鉄板のサッカー。爽やかなフェイスにサッカーが合わさることで途端にモテ度が2倍、いや、4倍アップする。ほら見てみろ、平田の隣に居る女子なんて既に目がハートだ。

　こういう奴がクラスの中心になって、卒業まで皆を引っ張っていくんだろうなぁ。

　そして大抵クラスや学年で一番可愛い子と付き合う。そこまでが1つの流れだ。

「もし良ければ、端から自己紹介を始めて貰いたいんだけど……いいかな？」

　あくまで自然に、それとなく確認を取る平田。

　端の女子生徒は少しだけ戸惑ったようだったが、すぐに意を決して立ち上がった。

　と言うよりは、平田からの言葉に対応しようと慌てたとも言える。

「わ、私は、井の頭、こ、こ――――っ」

　名乗ろうとして、言葉が詰まる井の頭と名乗った女の子。頭が真っ白になったのか、まだ考えがまとまっていないまま自己紹介が始まったのか。その後言葉が出ないまま、段々と表情は青ざめていく。ここまであからさまに緊張してしまう子も中々珍しいな。

「がんばれ～」

「慌てなくても大丈夫だよ～」

そんなクラスメイトからの優しさが飛ぶ。けれど、それは彼女にとって逆効果だったのか、言葉は喉(のど)の奥に引っ込んでしまう。5秒、10秒と続く沈黙。プレッシャー。

一部の女子からは小さな失笑すら出始める始末。立ちすくんだまま、動けずにいた。

そんな中、一人の女子がこんな言葉を投げかける。

「ゆっくりでいいよ、慌てないで」

それは、頑張れや大丈夫と同じような言葉に見えて、持つ意味合いは全く違った。

極度に緊張している相手に、頑張れや大丈夫って言葉は励みであると同時に、周囲に合わせるよう強いられている言葉にも取れる。

一方で、ゆっくりでいいよ、慌てないで、と言う言葉は相手に合わせる意味を持つ。

その声に少しだけ落ち着きを取り戻したのか、はふーっ、ふーっと小さく呼吸を整えようと試みる。それから暫(しばら)くして……。

「私は、井の頭……心(こころ)と言います。えと、趣味は裁縫とか、編み物が得意です。よ、よろしくお願いします」

一言出てからは、すらりと自分の言いたいことを言えたようだった。

ホッとしたような、嬉しそうな、恥ずかしそうな仕草を見せて、井の頭は腰を下ろす。

助け船のおかげで、井の頭という少女は事なきを得たようだった。自己紹介が続く。

「俺は山内春樹。小学生の時は卓球で全国に、中学時代は野球部でエースで背番号は4番だった。けどインターハイで怪我をして今はリハビリ中だ。よろしくぅ」

野球で背番号が4番なことは、別に意味をなさないと思うんだが……。

と言うかインターハイって高校の体育大会だろ……。中学生に出られるはずがない。

ウケ狙いのジョークと言う奴か。受けた印象は口が軽く、お調子者っぽい感じだった。

「じゃあ次は私だねっ」

元気よく立ち上がったのは、先ほど井の頭にゆっくりでいいよ、と言葉をかけた少女。

そして今朝のバスの中で老婆を手助けした女の子だった。

「私は櫛田桔梗と言います、中学からの友達は1人もこの学校には進学してないので1人ぼっちです。だから早く顔と名前を憶えて、友達になりたいって思ってます」

大体の生徒が一言で挨拶を終えていく中、櫛田と言う少女は言葉を続けた。

「私の最初の目標として、ここにいる全員と仲良くなりたいです。皆の自己紹介が終わったら、是非私と連絡先を交換してください」

言葉だけじゃない。この子は間違いなくすぐに打ち解けるタイプだ、そう直感する。

井の頭への言葉もただ適当に励ましたものじゃない、そんな気がした。

だってもう、私誰とでも仲良くなれます、みたいな気配が出てるし。

「それから放課後や休日は色んな人と沢山遊んで、沢山思い出を作りたいので、どんどん誘ってください。ちょっと長くなりましたが、以上で自己紹介を終わりますっ」

間違いなく男女共に人気が出ることになるだろうなぁ。

……とか言って他人の自己紹介を批評しているバヤイじゃないぞ。

何だろうな、このちょっと妙に落ち着かない感じ。

自分の番でなんて言おうか、ウケ狙った方がいいのか、とか考えだしてしまう。

超ハイテンションで自己紹介したら一笑い取れるか？

いや、でもなぁ。いきなりハイテンションなんてドン引きされそうだし。そもそもオレ、そんなキャラでもないしなぁ。

あれこれ悩んでいる間にも自己紹介は進んでいく。

「じゃあ次――」

促すように次の生徒に視線を送る平田だが、次の生徒は強烈な睨みを平田に向けた。

髪を真っ赤に染め上げた、それはもう不良って言葉がピッタリの少年だ。

「俺らはガキかよ。自己紹介なんて必要ねえよ、やりたい奴だけでやれ」

赤髪が平田を睨みつけた。今にも食って掛かりそうな勢いだ。

「僕に強制することは出来ない。でも、クラスで仲良くしていこうとすることは悪いことじゃないと思うんだ。不愉快な思いをさせたのなら、謝りたい」

真っ直ぐに見つめ頭を下げる平田の姿を見て、女子の一部が赤髪を睨みつけた。

「自己紹介くらいいいじゃない」

「そうよそうよ」

さすがイケメンサッカー少年。あっという間に女子の大半を味方に引き込んだようだ。ただ、その反面赤髪をはじめ、男子生徒からは半分嫉妬に似た怒りを買ったようだが。

「うっせぇ。こっちは別に、仲良しごっこするためにココに入ったんじゃねぇよ」

赤髪は席を立った。それと同時に数人の生徒が後に続くようにして教室を出る。慣れ合うつもりはないと判断したらしい。隣の席に座る堀北もまたゆっくりと立ち上がる。

堀北はちょっとだけこちらに顔を向けたが、オレが動かないことを知るとすぐに歩き出した。平田は少しだけ寂しそうにそんな堀北たちの背中を見送る。

「悪いのは彼らじゃない。勝手にこの場を設けた僕が悪いんだ」

「そんな、平田君は何も悪くないよ。あんな人たちほっといて続けよ？」

一部は自己紹介に反発する形で教室を出て行ってしまったが、残った多くの生徒たちは自己紹介を続けていく。結局大多数は長い物には巻かれるのが世の常だ。

「俺は池寛治。好きなものは女の子で、嫌いなものはイケメンだ。彼女は随時募集中なんで、よろしくっ！　もちろん可愛い子か美人を期待！」

ウケを狙ったのか、本気で言ったのか判断は難しいが、少なくとも女子の反感は買った。

「すごーい。池くんカッコイーー」

女子の一人が、１０００％嘘だと分かる無感情な声でそう言う。

「マジマジ？　や、俺も自分で悪くないとは思ってんだけどさ、へへっ」

どうやら池はそれを真に受けたらしく、ちょっと恥ずかしそうに頬をかいた。

その瞬間女子たちがドッと笑う。

「なんだよ、皆可愛いなぁ。ほんと彼女募集中だから！」

いや、からかわれているんだぞお前は。

調子に乗って何故か陽気に手を振る池。悪いヤツではなさそうだけどな。

それから次に、今朝バスで一緒だった男子生徒、高円寺の番がやって来る。

長めの前髪を手鏡で確認しながら、クシを使い無駄に整えている。

「あの、自己紹介をお願いできるかな――？」

「フッ。いいだろう」

短く、貴公子のように微笑んで見せるが、どことなくふてぶてしい態度が見え隠れする。

長い足をゆっくりと上げ立ち上がるのかと思ったが、高円寺は机の上に両足を乗せ、あろうことかその体勢で自己紹介を始めた。

「私の名前は高円寺六助。高円寺コンツェルンの一人息子にして、いずれはこの日本社会を背負って立つ人間となる男だ。以後お見知りおきを、小さなレディーたち」

クラス、と言うよりは異性に向けただけの自己紹介だった。

女子たちは金持ちのボンボンに目を輝かせ――ることもなく、ただの変人を見るような目で高円寺を見ていた。……当然だな。

「それから私が不愉快と感じる行為を行った者には、容赦なく制裁を加えていくことになるだろう。その点には十分配慮したまえ」

「えぇっと、高円寺くん。不愉快と感じる行為、って？」

制裁と言う言葉に不安を感じたのか、平田が聞き返す。

「言葉通りの意味だよ。しかし1つ例を出すなら――私は醜いものが嫌いだ。そのようなものを目にしたら、果たしてどうなってしまうやら」

ファサッと長い前髪をかき上げる。

「あ、ありがとう。気を付けるようにするよ」

赤髪や堀北に高円寺。それに山内や池。どうやら一癖も二癖もある生徒が、このクラスには集まったらしい。僅かな時間の間に、オレは様々な生徒の一面を垣間見た気がした。

オレは――特に癖も特徴も、何もない。

ただ自由な、そう、自由な鳥になりたくて、籠を飛び出した一羽の鳥なんだ。

先のことなど考えず、大空へ飛び出してみたかった。

ほら、窓の外を見れば優雅に羽ばたく鳥……は今は見えないが。

とにかくそんな男なんだ、オレは。

「えーっと、次の人――そこの君、お願いできるかな？」

「え？」

しまった、妄想に浸(ひた)っている間にオレの番が来てしまった。多くの瞳がオレの自己紹介を期待して待っている。おいおい、そんな期待した眼でオレを見つめるなよ(思い込み)。

仕方ねえなあ、ちょっと気張って自己紹介してやるぜ。

ガタッ！　勢いよく立ち上がる。

「えー……えっと、綾小路清隆(あやのこうじきよたか)です。その、えー……得意なことは特にありませんが、皆と仲良くなれるよう頑張りますので、えー、よろしくお願いします」

挨拶(あいさつ)を終(お)えて、そそくさと席に座る。

フッ……皆見たか？　オレの自己紹介をっ。


……失敗した！

思わず頭を抱え込む。

妄想に耽りすぎて、しっかりと自己紹介を構築する余裕が無かったせいだ。
誰からも注目はされない上に、記憶にも残らない、そんな最低の自己紹介で終わった。
「よろしくね綾小路くん。仲良くなりたいのは僕らも同じだ、一緒に頑張ろう」
平田は爽やかな笑顔を振りまきながら、そう言った。
パラパラとだが拍手が起こる。オレの失敗を見抜いてのフォローだと感じた。
この同情っぽいというか、お情けの拍手が妙に心に痛かった。
残念なことにそれでもちょっと嬉しかった。

3

お堅い学校と言っても、入学式はどこも同じようなもの。
偉い人のありがたいお言葉を頂戴し、無事に終了した。
そして昼前。オレたちは一通り敷地内の説明を受けた後、解散となった。
7、8割の生徒はその足で寮へと入っていく。残りは早くもグループを作っていて、カフェに向かう者や、カラオケに向かう猛者も。喧騒はあっと言う間に過ぎ去っていく。
ちなみにオレは、寮に行く前に強い興味を抱いていたコンビニに寄ろうと思っていた。
もちろん一人だ。付き添う知り合いなど一人もいない。

「……またしても嫌な偶然ね」

コンビニの中に入ると、すぐさま堀北と鉢合わせしてしまった。

「そんなに警戒するなよ。と言うか、お前もコンビニに用事だったのか」

「ええ、少しね。必要なものを買いに来たの」

これから始まる寮生活、必要な物も少なくない。女子ともなれば、色々と入用なんだろう。堀北は商品を確認しながら、オレに言った。

手に取ったシャンプーなどの日用品を、テキパキと籠の中へ運ぶ堀北。適当に選んでいるのかと思いきや、安価なものばかりをピックアップしている様子。

「女の子って、シャンプーとかにはこだわると思ってた」

「それは人によるでしょう？　お金はいつ必要になるかわからないもの」

勝手に人の買うものを見ないでくれる？　と視線は冷ややかだ。

「それにしても、あなたが自己紹介の場に残るのが、凄く意外だった。あなたはクラスメイトの輪に参加するようなタイプには見えなかったから」

「事なかれ主義だからこそ、ああいう場にはひっそりと参加するもんなんだよ。堀北こそ、なんで自己紹介に参加しなかったんだよ。たかが自己紹介だぞ？　自己紹介を通して多くの生徒が仲良くなってたし、友達作るチャンスだったと思うんだが」

あの場で、そのまま携帯の連絡先なんかを交換する生徒も少なくなかった。

堀北ならたちまち、人気者になっていたかも知れないのに。勿体ない。

「幾つも反論理由が浮かんだのだけれど、説明した方がいいかしら？　自己紹介したからといって、仲良くなれる保証があるわけじゃない。むしろ、自己紹介によって何か確執が生じるかも知れない。それなら、最初から何もしなければ問題が起きることはない。違う？」

「けど、確率的に言えば、自己紹介した方が仲良くなれる可能性は高いだろ」

「その確率は、どこから導き出したものなのかしら？　とは言え、その部分を追及しても水掛け論になるだけだから、仮にあなたの言うように、自己紹介することで仲良くなれる可能性があるとしましょう。結果、あなたは誰かと仲良くなれる可能性を見出したの？」

「う……」

じーっとオレを見て言う。……なるほど。それは見事な正論ですな。

事実オレは、まだ誰とも連絡先を交換できていない。自己紹介の利便性を証明できていない何よりの証拠になってしまった。堀北の主張に、オレは思わず視線を逸らした。

「つまり、自己紹介＝友達を作りやすい、と言う仮説を立証できていないのよ」

更に、と堀北は付け加える。

「そもそも、私は友人を作ろうと思っていない。だから自己紹介する必要もなければ、その場に居て自己紹介を聞く必要もないと言うこと。これで納得してもらえる？」

そう言えばオレが最初自己紹介した時も、堀北は否定的だったな……。

今にして思えば名前を教えて貰えただけでも奇跡的だったのかも知れない。

「悪い？」と聞かれたので、首を横に振っておいた。

人それぞれ色んな考え方があるもんだ。それを否定することはできない。

堀北は想像していたよりもずっと孤立、いや、孤高のタイプなのかも知れない。

目を合わせることもなくオレたちはコンビニの中を徘徊する。

性格は少しきつそうだけど、一緒に居て不快感のようなものは何故か感じない。

「うひょー。カップ麺もすげぇ種類揃ってんじゃん、マジ便利な学校だよなー」

インスタント食品の前で騒ぐ２人の男子生徒。２人は山ほどのカップ麺をカゴに放り込んでレジに向かっていった。カゴの中はその他にも、スナック菓子やらジュースやらでいっぱいだ。使い切れないくらいのポイントがあるのだから、当然か。

「カップ麺か……こんなに種類があるんだな」

オレがコンビニに寄った目的のひとつがコレだ。

「やっぱり男の子はそういうのが好きなの？　身体に良くないと思うけど」

「好きっつーかなんつーか」

オレはカップ形状のものを手に取って、それから値札を見る。

１５６円と書かれていたが、それが高いのか安いのか残念ながら判断がつかなかった。

ポイントという単位を使ってはいるが、この辺りは日本円表記なんだな。

「なあ、商品の価格に関してはどう思う？　高いとか安いとか」

「そうね……特に違いは感じられないけれど、気になる値段のモノでも見つけた？」

「いや、そういうわけじゃない。一応聞いてみただけだ」

コンビニに陳列された商品は、所謂妥当な値段ってことらしい。

となると、やはり1ポイント1円ということか。

高校一年生の平均的お小遣いが五千円前後だと考えると、けた違いの額だ。

やや挙動不審だったオレを見て、堀北は不思議そうに顔を覗き込んできた。

誤魔化すためにやたら目立つカップ麺を手に取ってみる。

「これ、凄いサイズだよな。Gカップって」

ギガカップと言う意味らしいが、何かもうこれだけで腹いっぱいになりそうだ。

余談だが、堀北は貧乳ではないが巨乳でもない。絶妙な境界線にいる。

「綾小路くん。今くだらないことを考えなかった？」

「……考えてないぞ？」

「その間が妙に気になるのだけれど」

オレの間と視線で、よからぬことを考えていることを見抜かれたらしい。鋭い奴め。

「買うかどうか悩んでたんだ。それがどうかしたのか？」

「いいえ。それならいいの。それよりやめておいたら？　学校には健康管理に気を遣った食事を出す施設も沢山あるだろうし、変な癖はつけない方がいいんじゃない？」

堀北の言うように、無理してインスタント食品にがっつく必要はない。

ただ、どうしても興味は抑えきれないので、普通サイズのインスタント食品（ＦＯＯ焼きそばと書かれていた）を一つだけカゴに放り込んだ。

注意を促した堀北は食品には一切手を付けず、生活必需品を見始めた。

ここはウィットなジョークでも飛ばして、堀北の内部ポイントを貯める作戦に出よう。

「悩んでるならこっちの五枚刃なんかどうだ？　綺麗に剃れると思うぞ」

「一体、私に何を剃れと？」

ドヤ顔で髭剃りを握りしめて見せてみるが、思ったような反応は返ってこなかった。笑って貰えるどころか汚物を見るような目で凄まれる。

「……それはほら、顎とか脇とか、下の────何でもありません」

心を挫かれ口ごもるオレ。女子に対して、この手のギャグは大失敗だったみたいだ。

「今日出会ったばかりの相手に、そこまで言える性格が少し羨ましいわね」

「……お前も相当初対面の相手にボロクソ言ってる気がするけどな」

「そう？　私はただ事実を言ってるだけよ。あなたとは違ってね」

冷静に返されオレは言葉を詰まらせた。確かにオレのは全部出まかせだ。ツルツルでスベスベそうな堀北から、どう考えても野蛮なものなど生えてきそうにない。

堀北はまたも一番安い洗顔料を選んだ。女の子ならもう少しこだわってもいいだろうに。

「どうせならこっちの方がいいんじゃないか？」

高めのクリーミーそうなヤツを手に取って見せてみる。

「必要ない」

軽く拒否される。

「いや、でも――」

「必要ない、と言ったでしょう？」

「はい……」

睨(にら)まれたのでオレはそっと棚に洗顔料を戻した。

怒られても構わないからある程度会話を弾ませようと思ったが、失敗した。

「あなたも人付き合いは得意な方じゃなさそうね。会話の組み立て方が下手(へた)だもの」

「堀北にそう言われるってことは、間違いなくそうなんだろうな」

「そうね。少なくとも人を見る目はあると思っているから。普通なら二度と口を利(き)かないところだけれど、涙ぐましい努力だけは汲(く)んでおいてあげるわ」

どうやらこっちの友達(ともだち)が欲しいと言う狙(ねら)い、思惑は全部筒抜けらしい。

そこでオレたちの会話はぱったりと止まってしまう。

女の子と二人でコンビニの中で買い物をするって、ちょっと不思議な感覚でやはり少し意識してしまう。堀北は一応可愛い女の子だしな。

「なあ。これ、どういうことだろうな？」

話題を変えようと店内を見渡しながら模索していると、妙なものを見つけた。

コンビニの隅に置かれた一部の食料品や生活用品。

一見他のものと同じに見えるが大きく異なる点が1つだけあった。

「無料……？」

堀北も不思議に感じたのか、商品を手に取る。

歯ブラシや絆創膏といった日用品が、無料と書かれたワゴンに詰められている。『1か月3点まで』と但し書きも添えられており、明らかに周りから浮いた異質さを放っていた。

「ポイントを使い過ぎた人への救済措置、かしら。随分と生徒に甘い学校なのね」

それだけサービスが行き届いていると言うこと、なんだろうか。

「っせえな、ちょっと待てよ！　今探してんだよ！」

突如、和やかなBGMを掻き消し、やたらと大きな声がコンビニの中に響き渡る。

「だったら早くしてくれよ。後ろがつかえてるんだから」

「あ？　何か文句あんのかオラ！」

どうやら会計で揉め事らしい。男同士の睨みを利かせた言い合いが始まっているようだった。不機嫌そうに顔を覗かせたのは、見覚えのある一人の赤髪の生徒。手には一つのカップ麺が握りしめられていた。

「何かあったのか？」

「あ？　なんだお前」

　友好的に話しかけたつもりだったが、赤髪は敵が増えたと勘違いしたのか強気な態度で
睨みを利かせてきた。

「同じクラスの綾小路だ。困ってそうだから声をかけたんだ」

　事情を説明すると、少し納得がいったのか赤髪の声が少しだけ落ち着いたものに変わる。

「ああ…そういやなんとなく見覚えがあんな。学生証忘れたんだよ。これからはあれが金
の代わりになることを忘れてたんだ」

　手ぶらのところを見ると、一度寮に戻った様子。その時忘れてきたんだろう。

　学生証が支払いに必要だというイメージは、正直オレもまだ持てない。

「良ければ立て替えるぞ？　取りに戻るのも手間だろうし。そっちが構わないならだけど」

「……そうだな。ぶっちゃけ面倒だ。ムカついてたしよ」

　寮までの距離は大したことはない。だがこうしている間にも、お昼の食事を買い求めて
か続々とレジには生徒が並び始め長蛇の列を形成し始めている。

「……俺は須藤だ。ここはお前の世話になることにするぜ」

「よろしくな、須藤」

須藤(すどう)はオレにカップ麺を手渡すと、お湯を入れるよう指示して外に出ていった。そんな短いやり取りを見ていた堀北(ほりきた)は、あきれたようにため息をついた。

「初対面からコキ使われているわね。彼の従順なシモべにでもなるつもり？　それとも、これがあなたなりの友達(ともだち)を作るための行動なのかしら」

「友達作りっつーか、まぁついでだし。別にいいさ」

「彼の風貌、外見に恐怖している、という感じでもないようね」

「恐怖？　なんで。不良っぽいからか？」

「普通の人なら、彼のようなタイプとは距離を置きたがるものよ」

「別に。オレにはあいつが悪い奴には見えないし。それに堀北だってビビッてないだろ」

「あの手の人種を避ける人は、自分を守る術(すべ)を持たない人が殆(ほとん)どだから。仮に彼が暴力的な行動に訴えても、私なら退けられる。だから下がらないだけよ」

堀北の言ってることは、いちいち小難しいと言うか、変わっている。そもそも、退けられるって、どういうことだよ。痴漢撃退スプレーでも持参しているのだろうか。

「買い物、済ませましょう。他の生徒にも迷惑になるから」

堀北と共に買い物を済ませる。学生証の提示を求められたのでレジの機械に通すと、すぐに会計が済んだ。小銭の受け渡しもないので作業は円滑だった。

「マジで金として使えんのな……」

レシートには各商品の値段と、残高ポイントが印字されていた。支払いが何の滞りもなく済む。堀北を待つ間、カップ麺にお湯を入れる。作り方に苦戦するかと思ったが、ふたを開けて線までお湯を入れるだけのシンプルなものだった。

それにしても本当に不気味な学校だ。

生徒の個人個人にここまで金を払って、一体どんなメリットがあると言うのか。

今年（ことし）の入学者が１６０人くらいだったはずだから、単純計算しても４８０人前後の在校生がこの学校には居ることになる。それだけで月に４８００万。年間５億６０００万。

幾ら国主導とはいっても、やり過ぎとしか思えない。

「学校には何のメリットがあるんだろうな。これだけの大金を持たせて」

「そうね……。敷地内にある設備だけでも十分多くの生徒は集まるわけだし、無理して学生にお金を持たせるなんて、必要性があるとは思えない。学生本来の目的である勉強が疎（おろそ）かになってしまうことだって十分にあるはずなのに」

これがテストとかで頑張ったご褒美（ほうび）ってことなら、分からないでもない。

現金な話だが、成功報酬となれば生徒のやる気は上がるだろうし。

でも、学校側はポイント獲得の条件など一切なく、10万もの金を全員に配った。

「指図できるようなことではないけれど、極力無駄遣いは避けた方がいいわよ。浪費癖がつくと後で治すのは大変だと思うから。人間は一度楽な暮らしを覚えると、それを容易（たやす）くは手放せない。目減りした時に受ける精神的なショックは大きいもの」

「肝に銘じておく」

元々雑費に金を費やすって気持ちは持ち合わせていない、その点は大丈夫だろう。

会計を済ませ店外へと移動すると、須藤はコンビニの前で腰を下ろして待っていた。

こちらを見つけると、軽く手を挙げて応える。それに合わせてオレも手を少し上げると、何となく嬉しいような気恥ずかしいような気持ちになった。

「まさかここで食べるのか？」

「当たり前だろ。ここで食うのが世間一般の常識だ」

須藤は当然のように答えたが、オレは困惑し、堀北も呆れたようなため息をついた。

「私は帰るわ。こんなところで品位を落としたくないし」

「何が品位だよ。高校生だったら普通だろうが。それとも良いとこのお嬢様ってか？」

須藤は堀北に噛みついたが、堀北は目を合わせることすらしなかった。

それが癪に障ったのか、須藤はカップ麺を地面に置き立ち上がった。

「あぁー？　人の話聞けよ。おい！」

「彼どうしたの。急に怒り出して」

あくまでも堀北は、須藤とは話さずオレに聞いてきた。

それが余計に気に食わなかったのか、須藤は掴みかかる勢いで吠えた。

「こっち向けよ！　ぶっ飛ばすぞ！」

「堀北の態度が悪かったのは認めるよ。でも、お前もちょっと怒りすぎだ」

幾らなんでも、須藤にはキレるまでの前触れが無さすぎる。

「ああ？　んだと？　こいつの態度が生意気なのが悪いんだろうが、女のくせによ！」

「女のくせに。時代錯誤も良いところね。彼とは友達にならないことをお勧めするわ」

そう言い、堀北は最後まで須藤と会話することなく背を向けた。

「待てよオイ！　クソ女！」

「落ち着けって」

本気で堀北に掴みかかろうとした須藤をオレは慌てて制止する。

堀北は立ち止まることも振り返ることもなくそのまま寮へと帰っていった。

「何なんだよあいつは！　くそっ！」

「人それぞれ、色んなタイプがいるもんだって」

「うっせぇよ。ああ言う真面目ぶったヤツ、俺は嫌いなんだよ」

オレまで睨まれる。須藤はカップ麺をひっつかむと、フタを剥がして食べ始めた。

さっきレジ前で揉めてたことといい、ちょっと須藤は怒りの沸点が低いのかも知れない。

「おい、お前ら一年か？　そこは俺らの場所だぞ」

須藤がラーメンをするのを見ていると、コンビニから同じようにカップ麺を持って出て来た3人組に声をかけられた。

「んだお前ら。ここは俺が先に使ってんだよ。邪魔だから失せろ」

「聞いたか？　失せろだってよ。こりゃまた随分と生意気な一年が入ってきたもんだ」

けらけらと須藤の噛み付きに対して笑う。その様子を見ていた須藤は、突如立ち上がると、手にしていた食べかけのカップ麺を地面に叩きつけた。辺りに汁と麺が散乱する。

「一年だからって舐めてんじゃねえ、あぁ!?」

……ちょっと、じゃないな。須藤は相当怒りの沸点が低い。すぐに吠え相手を威嚇する性格の持ち主らしい。

「二年の俺たちに対して随分な口のきようだなぁオイ。ここに荷物置いてんだろ？」

ポン、と今荷物を置く2年の先輩。そしてげらげらと笑いだす。

「はい俺たちの荷物がここにはありました。だからどけ」

「いい度胸じゃねえか、くそが」

須藤は人数差に怯まず食ってかかった。今にも殴り合いが始まりそうな様相だ。まさかオレを頭数に入れてないだろうな。

「おー怖い。お前クラスは何だよ。なんてな。当ててやろうか？　Dクラスだろ？」

「だったらなんだってんだ！」

須藤がそう答えた途端、上級生全員が一斉に顔を見合わせ、一瞬の間の後、ドッと笑う。

「聞いたか？　Ｄクラスだってよ。やっぱりな！　お里が知れるってもんだよなぁ」

「あ？　そりゃどういう意味だよオイ」

食ってかかる須藤だったが、逆に男たちはニヤニヤと一歩後退した。

「可哀想（かわいそう）なお前ら『不良品』に今日（きょう）だけはココを譲ってやるよ。行こうぜ」

「逃げんのかオラ！」

「吠えてろ吠えてろ。どうせすぐ、お前らは地獄を見るんだからよ」

地獄を見る？

彼らからは明らかな余裕の色が見て取れた。どういうことだろうな。

と言うか、てっきりお坊ちゃんお嬢様ばっかりの学校かと思ってたけど、ああ言う連中や須藤のようなタイプまで、派手な連中が結構いるんだな。

「あークソが、女といい２年といい、うぜぇ連中ばっかりだぜ」

須藤は散乱した具材の後始末もせず、ポケットに手を突（つ）っ込み帰っていった。

オレはコンビニの外壁を見上げる。そこには２台の監視カメラが設置されていた。

「後で問題になる可能性あり、か」

仕方なくしゃがみこみカップを拾い上げると、後片付けを始めた。

それにしても、須藤がＤクラスと知った途端２年生は急に態度を変えた。

気になると言えば気になるが、今その答えを導き出せるはずもない。

4

午後1時を回る頃、オレは今日(きょう)から自分の家となる寮へと帰り着いた。

1階フロントの管理人から401と書かれたカードキーと、寮でのルールが書かれたマニュアルを受け取り、エレベーターに乗り込む。渡されたマニュアルに目を通すと、ゴミ出しの日や時間、騒音には気を付けること。水の使い過ぎや無駄な電気の使用を控えることなど、生活の基本の事柄ばかりが記載されていた。

「電気代やガス代も、基本的に制限はないのか……」

てっきり、ポイントの中から支出するものだとばかり思っていた。

本当にこの学校は生徒のために、あらゆる手を尽くし万全の体制を築いている。

男女共用の寮になっていることにも少し驚いた。さすがに高校生にそぐわない恋愛をしてはいけないと書かれてあるが。要は表向きエッチはご法度(はっと)ってことだ。……当たり前か。聖職者が不純異性交遊やりまくってオッケーなんて言うはずがない。

しかしこんな楽な暮らしで、本当に立派な大人に育成出来るのかは甚(はなは)だ疑問だが、生徒側としては喜んで今の状況を利用させてもらった方がいい。

僅(わず)か八畳ほどの1ルーム。けど、今日からここはオレだけの家だ。学校の寮とはいえ、初めての一人暮らし。卒業するまでの間、外部との連絡を一切断って生活することになる。

その状況にオレは思わず笑みがこぼれてしまった。

この学校は高い就職率を誇り、その施設や待遇も他校の追随を許さない日本屈指の高校。

でも、オレにとってそんなものは些細なことだ。この学校を選んだ唯一にして最大の理由。中学時代の友人であれ肉親であれ、許可なく在校生と接触することは出来ない。

それが――どれだけありがたいことか。

オレは自由だ。自由。英語で言うとフリーダム。フランス語ならリベルテ。

……自由って最高じゃね？　好きな時間に食べたいものを食べたり、寝たり、遊んだり出来るってことだろ？　さっきの連中の言葉じゃないけど、卒業したくねーわー、オレ。

この学校に受かる前は、正直どっちでもいいと思っていた。

合格でも不合格でも、些細な違いでしかないと思っていた。

だけどやっと実感が湧いてくる。オレはこの学校に受かって良かったんだ、と。

もう誰の目も、言葉も、オレに届くことは無い。

やり直せる……いや、新しく始めることが出来るのだ。人生を。

とりあえず、目立たずそこそこに楽しく学生ライフを満喫していくと誓おう。

制服のまま、整えられたベッドにダイブする。だが眠気が襲ってくるどころか、わくわくする状況に気持ちが落ち着かず目が冴えていくのだった。

○Dクラスの皆様方

学校二日目、授業初日ということもあって、授業の大半は勉強方針等の説明だけだった。先生たちは進学校とは思えないほど明るくフレンドリーで、多くの生徒が拍子抜けしたのが正直な感想だろう。須藤に至っては既に大物ぶりを発揮していて、殆どの授業で眠りこけている。教師たちはそれに気づいていただろうけど、注意する気配は全くない。これが義務教育じゃなくなった高校生たちへの対応ってことなんだろうか。授業を聞くのも聞かないのも個人の自由だから、教師は関与しない。

弛緩した空気の中昼休みになった。生徒たちは思い思いに席を立ち、顔見知りになった連中と食事へと消えていく。オレはそんな光景を少し羨ましそうに見つめることしかできなかった。親しくなれそうなクラスメイトは、残念ながら結局一人も出来なかったのだ。

「哀れね」

そんなオレの様子に気づいていたもう一人のボッチが、冷笑の視線を向けて来た。

「……何だよ。何が哀れなんだ？」

「誰かに誘って貰いたい。誰かとご飯を食べたい。そんな淡い考えが透けてみえたから」

「お前だって一人だろ。同じように考えてるんじゃないのか？　それとも3年間友達も作らず一人でいるつもりか？」

「そうよ。私は一人の方が好きだもの」

堀北(ほりきた)は迷わず、間髪(かんはつ)いれず答える。本心からそう言っているように聞こえた。

「私に構ってないで、自分の状況をどうにかしたら？」

「まあ、な……」

満足に友達も作れてないオレが偉そうに言えたことじゃないのは確かだ。

正直このまま友達が出来なかったら、後々面倒なことになる。孤立もまた目立つ存在になるからだ。虐(いじ)めの対象にでもなったらそれこそ目も当てられない。

授業が終(お)わってほんの1分ほどでクラスからは半分ほどの生徒が姿を消していた。

残った連中の方は、オレのように誰かとどこか行きたいなと思いつつ行けてない奴や、そもそもそんなことを意識していない奴、あるいは堀北のように一人が好きなヤツらか。

「えーっと、これから食堂に行こうと思うんだけど、誰か一緒に行かない？」

平田(ひらた)は立ち上がると、そんなことを言った。

こいつの思考回路というか、リア充っぷりには頭が下がる。そして、オレはそんなキッカケを作ってくれる救世主を、心のどこかで待っていたのかも知れない。

平田よ、今オレが行くぞ。意を決しゆっくりと手を挙げようとして……。

「私も行く〜！」「私も私も！」

平田の周りに続々と女子が集まり出すのを見て、挙げかけた手を下ろした。

なんで女子が手を挙げんだよ！　アレは平田のボッチの男子を思う優しさだろうが！

ちょっとイケメンだからってホイホイ飯にまでついていこうとすんなよ！

「悲惨ね」

冷笑、から侮蔑の視線へと変わった堀北。

「勝手に人の心中を察するなっ」

「他には居ないかな？」

男子が居ないことにちょっと寂しさを感じたのか、平田は周囲を見渡す。

平田の目が教室内を大きく動き、そして、もちろん男子のオレとも目が合う。

ここだ！　平田気づいてくれ！　お前に誘って貰いたいと願う男がここに居るぞ！

平田は目の合ったオレから視線を外さなかった。

さすがクラスに気を遣えるリア充、オレの訴えを理解してくれたかッ！

「えーっと、綾小――」

それに答えるようにして、平田がオレの名前を呼ぼうと口を開いた、瞬間。

「早く行こ、平田くん」

こっちの訴えに気づくこともなく、ギャルっぽい子が平田の腕を掴んだ。

ああっ……平田の視線が女子に奪われてしまった。そして和気藹々と平田と女の子たちが教室の外へと行ってしまう。残されたのは、上げかけた宙ぶらりんな手と腰だけ。

何となくその状態を気恥ずかしく感じ、オレは頭を掻くふりして誤魔化す。

「それじゃ」

憐れむような視線を残し、堀北も一人で教室を出て行った。

「虚しい……」

仕方なく一人寂しく席を立つと、一応学食へ向かう決意をする。

もし一人で食べられるような雰囲気じゃなければ、コンビニで何か調達しよう。

「綾小路くん……だよね？」

学食に向かおうとすると、突然美少女に声を掛けられた。クラスメイトの櫛田だ。

こうして正面から見るのは初めてなので、物凄くドキドキする。

肩口より少し短いショートの茶髪で、ストレート。けして下品なイメージは無いが、学校が許可するスカートの長さギリギリの短さにしてある辺り、最近の女子高生と言う感じがプンプン出ている。手にしたポーチには沢山のキーホルダーが結び付けられていて、もはやポーチを運んでいるのかキーホルダーを運んでいるのか判断がつかない。

「同じクラスの櫛田だよ。覚えてくれてるかな？」

「何となく、だけどな。オレに何か用か？」

「実は……少し聞きたいことがあって。その、ちょっとしたことなんだけど綾小路くんって、もしかして堀北さんと仲がいいの？」

「別に仲良くはないぞ。普通だ普通。あいつがどうかしたのか？」

どうやらオレに用件と言うより、堀北が目的だったらしい。ちょっと悲しい。

「あ、うん。その、一日でも早くクラスの子とは仲良くなりたいじゃない？　だから一人一人に連絡先を聞いて回ってるところなの。でも……堀北さんには断られちゃった」

あいつ、勿体ないことを。こんな積極的な子がいるなら、便乗して連絡先くらい教えたら良かったんだ。そしたら意外とすんなりクラスに馴染めたかも知れないのに。

「入学式の日も、学校の前で二人で話してたよね？」

バスが一緒だったことを考えれば、オレと堀北の出会いを見ていても不思議じゃない。

「堀北さんってどういう性格の人なのかな。友達の前だと色んなこと喋ったりする人？」

彼女は堀北のことを知りたいのか、色々と聞いてくるが答えられそうなことは何もない。

「人付き合いが少し苦手なタイプだと思うけど。でも、どうして堀北のことを？」

「ほら、自己紹介の時、堀北さん教室出て行っちゃったでしょ？　まだ誰ともお話ししてないみたいだし、ちょっと心配になっちゃって」

この子はクラス全員と仲良くなりたいと自己紹介の時言っていたっけ。

「話は分かったけど、オレも昨日出会ったばっかりだからな、助けにはなれない」

「ふぅん……そうだったんだ。てっきり同じ学校の出身か昔からのお友達だと思っちゃった。ごめんね、いきなり変なことを聞いて」

「いや、いいよ。ただ、なんでオレの名前を知ってたんだ？」

「なんでって、自己紹介してたじゃない？　ちゃんと覚えてるよ」

あんな箸にも棒にも掛からないオレの自己紹介を、櫛田は聞いていてくれたらしい。

なんかもうそれだけですごく嬉しかった。

「改めてよろしくね、綾小路くん」

手を差し出され、ちょっと戸惑ったが、オレはズボンで手を拭いてから手を握った。

「よろしく……」

今日はラッキーなことがあるかも知れない。悪いことがあれば良いこともある。

そして人は都合のよい生き物だから、悪いことはあっさりと上書きしてしまうのだ。

1

結局学食を少し覗いただけで、オレはコンビニに立ち寄りパンを買って教室に戻った。

10名ほど教室に残っていたクラスメイトたちは、机をくっつけて友達同士食べる者から、一人静かに昼食を取る生徒など様々だ。共通点をあげるとすれば、全員が寮住まいのため、コンビニや食堂の弁当の者がほとんどなことだろう。

オレも一人で食事を始めようとしていたら、隣の席の住人が何故か席に戻っていた。

机にはどこで買ったのか、美味しそうなサンドイッチを食べている堀北が。

話しかけるなオーラが全開だったので、特に言葉を交わさず自分の席に戻る。

席に戻って菓子パンに舌鼓をうっていると、スピーカーから音楽が流れて来た。

「本日、午後5時より、第一体育館の方にて、部活動の説明会を開催いたします。部活動に興味のある生徒は、第一体育館の方に集合してください。繰り返します、本日――」

可愛らしい女性の声と共にそんなアナウンスがされた。

部活動か。そう言えば、オレ部活なんてやったことないんだよな。

「なあ堀北――」

「私は部活動に興味ないから」

「……まだ何も聞いてないだろ」

「じゃあ、何？」

「堀北は部活に入らないのか？」

「綾小路くん。あなたは痴呆なの？　それともタダのバカなの？　興味ないって最初に答えたはずだけれど？」

「興味は無くても、部活に入らないとは限らないだろ」

「それを屁理屈と言うのよ。覚えておいた方がいいわ」

「そうします……」

堀北は友達作りにも部活にも興味がない。こうしてオレが話しかけるのも、鬱陶しいと感じているんだろう。ただ学校には進学や就職のためだけに来たってことなんだろうか。

進学校ならそれも不思議なことじゃないが、少し勿体ない気もする。

「よっぽど友達が居ないのね」

「悪かったな。未だに満足に話せるのはお前だけで」

「言っておくけれど、私を友達にカウントだけはしないでね」

「お、おう……」

「それで、部活を見に行きたいあなたは、どこかに入部するつもりなの？」

「あ、いや、どうかな。まだ考えてないな。ただ多分入らない」

「入部するつもりもないのに、説明会には行きたいなんて。変わってるわね。それとも部活動を口実に、友達を作ろうと画策しようとしている、とか？」

どうしてこうこいつは鋭いのか。いや、オレが単純にわかりやすいだけか。

「初日失敗したオレにとって、残されたチャンスは部活しかないと思うんだよな」

「私以外を誘えばいいじゃない」

「誘う相手がいないから、こうして苦労してるんだろ！」

「それは真理ね。けど、私には綾小路くんが、本気で言っているようには思えないわ。友達が真剣に欲しいと考えているなら、もっと自分から主張するべきだし」

「それが出来ないからボッチ街道を進んでるんだろ、真っ直ぐに、ひたすらに」

堀北は小さな口にサンドイッチを運び、静かに食事を再開した。

「矛盾したその考え方は、やや理解に苦しむわね」

友達が欲しいのに友達を作れない。それが堀北にはさっぱり分からないようだった。

「堀北は部活はやってなかったのか？」

「ええ。部活動は未経験よ」

「部活以外は何が経験済みなんだ？　やっぱりあんなことやこんなことか？」

「……ねえ、何か意図して発言してる？　私には悪意のある質問に感じたのだけれど」

「悪意？　なんだ、オレが何を言いたかったのか教えて貰ってもいいでしょうか」

ズムッとオレの脇腹に予備動作の少ないチョップが突き刺さった。

女の子の一撃とは思えない威力にオレは思わずむせ返る。

「な、なにすんだよ！」

「綾小路くん。あなたにはこれまで散々注意してきたけれど、どうやら口で言っても聞かないみたいだから。今後は容赦なく制裁を加えていこうと思うの」

「断固反対！　暴力じゃ何も解決しないぞ！」

「そうかしら？　有史以来暴力が存在する理由は、究極人類にとって暴力での解決が最も効率の良い方法だからよ。相手に言い分を聞かせるにも、相手の要求をはねのけるのにも暴力を振るうのが一番確実で早いもの。国と国は言うに及ばず、警察だって法を強いる存在として、拳銃や警棒といった武器、逮捕権を使って暴力を振るっているのよ？」

「ぺらぺらとよくもまぁ……」

自分に非が無いと言い張るように、堂々と言った。これまでの発言も含めて、自分の無茶な行動にもある程度正当な理由を付けて反論してくるから質が悪い。

「今後は綾小路くんに対して粛清の意味を込めて、更生のために暴力を振るっていこうと思うの。どうかしら？」

「それ、オレが堀北に同じようにするって言ったら、どうするんだよ」

どうせ男が女に手をあげるなんてサイテー、とか、卑怯者、とか言いだすんだろう。

「構わないけれど、そんな機会は訪れないと思うわよ？　そもそも、私は間違ったことを口にもしなければ行動もしないから」

予想の斜め上を行く回答だった。自分が正しいと信じて疑っていない。

外見や言葉遣いは丁寧で優等生っぽいのに、その中身はとんだ獣だ。

「分かった分かった。今後は極力気を付ける」

オレは堀北を誘うことを諦め、窓の外を向いた。あぁ、今日もいい天気だ。

「部活動……か。そうね……」

堀北は何を思ったのか、ブツブツ言いながら考え込むような仕草を見せた。

「ねえ、放課後少しだけで構わない？　付き合うの」

「少しだけって、つまり？」

「あなたが言ったんでしょう？　説明会に付き合ってほしいって」

「あ、ああ。や、長居するつもりはないけどさ。キッカケを探すだけだし。いいのか？」

「少しだけならね。それじゃあ、放課後に」

そう言い終え、また食事を再開した。オレの友達作りに付き合ってくれるらしい。

さっきまで嫌だって言ってたのに、もしかして一周して堀北は良いヤツ？

「友達を作れず、右往左往するあなたを見るのも、少し面白そうだしね」

……やっぱり嫌なヤツだ。

2

「思ったより多いなぁ」

放課後、オレと堀北は頃合いを見て体育館へとやって来た。

既に一年生と思われる生徒たちの殆どは揃っていて、１００人近くが待機している。

オレたちは少し後方の位置に立ち、所定の時刻を待つことにする。

体育館に入る際配られた、部活動の詳細が載ったパンフレットに目をやりながら。

「この学校って有名な部活動ってあるのかしら。例えば……空手とか」

「どの部活動も高いレベルらしい。全国クラスの部活や選手も多いみたいだ」

それでも、野球やバレーなどの名門校には一歩及ばない様子を見ると、この学校の中での部活動は趣味的な意味合いが濃いようだ。

「施設も並の学校より遥かに充実してるってよ。見ろよ、酸素カプセルなんかもある。さすがに設備は豪勢と言うか、プロ顔負けだな。あ、ただ空手部はないみたいだな」

「……そう」

「なんだよ、空手にでも興味があるのか？」

「いいえ、気にしないで」

「でもアレだな。部活未経験者は運動部に入りにくいよな。高校デビューしてもどうせ万年補欠だ。それで面白さを見出せるとも思えないし」

状況、環境が整い過ぎているというのも考え物じゃなかろうか。

「それは努力次第でしょう？　1年2年と鍛錬を積めば、誰にでも可能性はあるわ」

鍛錬か。とてもじゃないけど、そんな必死にやれる気はしないな。

「事なかれ主義の綾小路くんに、鍛錬は無縁の存在だったかしら」

「それ、事なかれ主義と関係あるのか？」

「無駄な労働を避け、無事に過ごす人のことを事なかれ主義と言うのよ？　自分で言った発言なら、それに最後まで責任を持った方が良いわね」

「……そんな深く考えて使ってないし」

「そんな風に適当だから、いつまで経っても友達が出来ないんでしょうね」

「堀北に言われると心底傷つくな」

「一年生の皆さんお待たせしました。これより部活代表による入部説明会を始めます。私はこの説明会の司会を務めます、生徒会書記の橘と言います。よろしくお願いします」

司会の橘と言う先輩の挨拶の下、体育館の舞台上に、ズラッと部の代表者が並ぶ。

屈強そうな柔道着を着た先輩から、綺麗に着物を着こなした先輩まで様々だ。

「一度、心機一転を兼ねて運動部に入ってみたら？　柔道なんて丁度いいんじゃない？　優しそうな先輩だし、きっと励みになるわよ」

「どこが優しそうなんだよ。あのゴリラみたいな体格、間違いなく殺されるぞ」

「柔道なんて楽勝だ、と息巻いていたって後で伝えておくわね」

「絶対にやめてください！」

全く、まともに会話が成立するようになったかと思えば、振り回されてばかりだ。

「にしても、やっぱ体育系は迫力があるっていうか、初心者お断りな空気があるよな」

「初心者は歓迎してくれるはずよ。基本的に部員が多ければ、当然学校からは多く部費を貰えて練習環境は充実していくでしょうし」

「それ、ただ初心者が金のために利用されているだけのような……」

「部員を集めるだけ集めて部費を増やして、後は幽霊部員になってもらうのが理想じゃないかしら。世の中、上手く出来ているってことね」

「嫌な世の中だな……お前の考え方も、妙に生々しいし」

「私は弓道部の主将を務める、橋垣と言います。弓道には古風、地味な印象を受ける生徒も多いと思いますが、とても楽しくやりがいのあるスポーツです。初心者の生徒も大歓迎しますので、是非うちにいらしてください」

壇上で弓道着に身を包んだ女子生徒が部の紹介を始めた。

「ほら、初心者歓迎らしいわよ。入部してみたら？　部費のために」

「利用されるだけの入部なんて絶対嫌だ……！　それに、大体運動部なんてリア充の集まりに決まってる。相手にされず楽しくなくて、退部する結末まで一瞬で見えた」

「それはあなたの捻じ曲がった性格が生んだ考え方じゃない？」

「いいや、絶対にそうだ。運動部はなしだな」

アットホームな職場です、みたいな内輪だけで満足してるバイトくらい入りたくない。

もっとこう、落ち着いた静かな部なら入りやすいんだけどな。

「っ……！」

次々入れ替わり、部活動を紹介していく先輩たちに目をやっていると、隣の堀北の身体が突然大きく跳ねた。顔を青くし舞台の方を見入っている。

「どうした？」

だが、オレに声をかけられたことには気が付かなかったようだ。

視線を追うようにオレも舞台を見るが、そこに特別なものは見当たらない。

今の紹介は野球部の代表らしく、ユニフォームに身を包んでいるだけ。

もしかしてあの野球部の人に一目惚れしたとか？　というような様子でもない。

驚き？　萎縮？　あるいは、喜び？　正直堀北の表情は複雑で、読み取れない。

「堀北。どうしたんだ？」

「…………」

本当にオレの声は聞こえていないようだった。ただただ舞台上を見て目を離さない。

これ以上声をかけるのはよそうと思いオレも説明に耳を傾ける。

野球部の説明そのものは、特に秀でたものがあるわけじゃなかった。

部活の活動時間やどんなところに魅力があるか、未経験者でも歓迎するなど、オーソドックスな挨拶だ。それは野球部だけでなく、殆どの部が似たような説明を繰り返していく。

驚くようなことがあったとすれば、茶道や書道などのマイナーな文化系の部活も充実していたことや、新しい部を結成するのに必要な最低人数が3人であることも知った。

一年生たちは部活の説明が切り替わるたび、どうするどうすると友達同士で相談し合う。

気が付けば体育館は賑やかな雰囲気に包まれていた。監督役の教師をはじめ、部の代表たちは、騒がしい一年生たちに対し、嫌な顔を一切見せず説明を続けていく。一人でも多く部員を獲得するために、それだけ必死なのかもしれない。

説明を終えた先輩たちから順に、舞台を降りて簡易テーブルの並べられた場所へ向かう。恐らく説明会の後、そこで直接入部受付を行うのだろう。

舞台から一人去り、二人去り、いよいよ最後の一人となった。全員の視線が集中する。

そこで初めて、オレは堀北がずっとその人物だけを見つめていたことに気がついた。

身長は170センチちょいと、それほど高くない。細身の身体に、さらりとした黒髪。シャープなメガネから、知的さを覗かせている。

マイクの前に立ったその生徒は落ち着いた様子で一年生を見下ろす。

一体何の部活で、どんな説明をするんだろうか。興味が湧いた。

そんなオレの思いはすぐに裏切られた。その生徒が一言も発しなかったからだ。

ひょっとすると、頭が真っ白になってしまったのか。はたまた緊張して声が出ないのか。

「がんばってくださ〜い」

「カンペ、持ってないんですか〜？」

「あはははは！」

一年生から、そんな声が投げかけられる。しかし、それでも壇上に立つ先輩は、微動だにせず立ち尽くすだけ。笑い声も励ましも届いていないかのようだ。

笑いもピークが過ぎれば、突如白けてしまう。

「何だよあの、先輩は」と、呆れる生徒が出始め、体育館はざわつきだす。

それでも壇上の男は動かない。ただ静かに、ジッと、ジッとしている。

堀北も食い入るようにその生徒を見つめて目を逸らさなかった。

そして弛緩した空気が徐々に予想外の方向へと変わっていく。まるで化学変化だった。

体育館全体が、信じられないことに張り詰めた、静かな空気に包まれていく。

誰に命令されたわけでもないのに、話してはいけないと感じるほど、恐ろしい静寂。

もはや何人にも口を開くことはできない。そんな静寂が、30秒ほど続いた頃だろうか
……。ゆっくりと全体を見渡しながら壇上の先輩が演説を始めた。

「私は、生徒会会長を務めている、堀北学と言います」

堀北？　オレは隣の堀北を見る。偶然同じ苗字なのか、それとも……。

「生徒会もまた、上級生の卒業に伴い、1年生から立候補者を募ることとなっています。特別立候補に資格は必要ありませんが、もしも生徒会への立候補を考えている者が居るのなら、部活への所属は避けて頂くようお願いします。生徒会と部活の掛け持ちは、原則受け付けていません」

口調こそ柔らかかったが、肌を突き刺すような緊張、空気だ。この広い体育館にいる100人を超える新入生たちを、たった一人で黙らせてしまう。

もちろん、生徒会長だからそんな力が備わっているわけじゃない。目の前にいるこの堀北学と言う生徒の持つ力だ。場を支配する気配が、より一層重たいものへと変わっていく。

「それから——私たち生徒会は、甘い考えによる立候補を望まない。そのような人間は当選することはおろか、学校に汚点を残すことになるだろう。我が校の生徒会には、規律を変えるだけの権利と使命が、学校側に認められ、期待されている。そのことを理解できる者のみ、歓迎しよう」

淀みなく演説すると、真っ直ぐに舞台を降り体育館を出て行った。

オレたち一年生は一言も発することが出来ないまま、生徒会長を見送ることしかできなかった。雑談でもしようものならどうなるか分からない。そう思わせる気配があった。

「皆さまお疲れ様でした。説明会は以上となります。これより入部の受付を開始いたします。また、入部の受付は4月いっぱいまで行っていますので、後日を希望される生徒は、申込用紙を直接希望する部にまで持参してください」

のんびりした司会者のお陰で、張りつめた空気はゆっくりと雲散霧消していった。

その後、部活紹介をした3年生たちは、一斉に部活申し込みの受付を始める。

「…………」

堀北は、立ち尽くしたまま動く気配が無かった。

「おい、どうしたんだよ」

堀北は何も答えない。と言うよりも、オレの言葉は耳に届いていないようだった。

「よう綾小路。お前も来てたんだな」

思案していると声をかけられる。須藤だ。クラスメイトの池、山内も一緒だった。

「なんだよ、３人で。すっかり仲良くなったんだな」

内心羨ましいと感じる気持ちを抑えつつ、須藤にそう言った。

「それで、お前も部活入るのか？」

「いや、オレはただの見学。『も』ってことは、須藤は部活するのか？」

「ああ。俺は小学生ン時からバスケ一筋だからな。ここでもバスケだ」

しっかりした身体つきをしてるとは思ってたけど、須藤の本命はバスケか。

「二人は？」

「俺たちは賑やかしっつーか、楽しそうだったから来ただけって感じ？　あとは、運命的な出会いがあることを期待してるってのもある」

「何だよ、その運命的な出会いって」

池からの変わった狙いに聞き返すと、腕を組んで誇らしげに答えた。

「Dクラスで一番に彼女を作る。それが俺の目標だ。だから出会いを求めているのさっ」

そういうことか。池にとって学校生活で最優先すべきは彼女の存在らしい。

「それにしてもさっきの生徒会長すげぇ迫力だったよな。場を支配するって感じ？」

「だな。一言も話さずに全員黙らせるなんて普通無理だ」

「あ、そうそう。実は昨日、男子用のグループチャット作ったんだよ」

池はそう言うと、携帯を取り出した。

「折角だからお前もやらない？　結構便利なんだぜ」

「え、オレもいいのか？」

「当たり前だろー。俺たち同じDクラスなんだからさ」

思いがけない提案だ。オレは喜んでグループチャットにお呼ばれされる。

ついに友達が出来るきっかけを手に入れたぞ！

携帯を取り出し交換しようとしたところで、堀北が人ごみに消えていくのが見えた。

その様子がどことなく心配になり、思わず携帯の操作が止まる。

「どうしたー？」

「いや……何でもない。じゃあ交換いいか？」

携帯の操作を再開し、オレは池たち全員と連絡先を交換することが出来た。

あいつが一人で行動するのは自由だし、それを邪魔する権利はオレにない。

一瞬後ろ髪を引かれてしまったが、結局後を追うことはしなかった。

○男性諸君、お待たせしました

「おはよう山内！」

「おはよう池！」

登校すると、満面の、てっかてかの笑顔で池が山内に声をかけていた。

この二人がこんなに早く登校してくるなんて珍しいこともあるもんだ。入学式から1週間。池や山内は毎日のように遅刻寸前に登校していた。今日に限ってやたら早い。

「いやあー授業が楽しみ過ぎて目が冴えちゃってさー」

「なはは。この学校は最高だよな、まさかこの時期から水泳があるなんてさ！　水泳って言ったら、女の子！　女の子と言えばスク水だよな！」

確か水泳の授業は男女合同。つまり堀北や櫛田、その他大勢の女子の水着……肌の露出を目にすることになる。ただ池と山内がはしゃぎ過ぎていて女子の一部はドン引きだ。

というかオレもこうして一人、椅子に座っていつまでも孤立しているわけにはいかない。積極的に友達の輪に入っていかなければ。何度か様子を窺い幸い三人の会話が途切れたので、今しかないと立ち上がる。しかし……。

「おーい博士ー。ちょっと来てくれよー」

「フフッ、呼んだ？」

太目な生徒が、あだ名なのか「博士(はかせ)」と呼ばれてゆっくりと近づいてくる。

確か名前は外村(そとむら)だかなんだかそんな感じだった気がする。

「博士、女子の水着ちゃんと記録してくれよ？」

「任せてくだされ。体調不良で授業を見学する予定ンゴ」

「記録？　何させるつもりだよ」

「博士にクラスの女子のおっぱい大きい子ランキングを作ってもらうんだよ。あわよくば携帯で画像撮影とかもなっ」

「……おいおい」

須藤(すどう)も池(いけ)の狙(ねら)いに少し引く。そんなこと女子が知ったら偉いことになるぞ。だが内容はともかく、友達(ともだち)らしい会話にうらやましさを覚える。いいなぁ友達。オレも友達が欲しい。

「哀れね」

「……お前も来てたのか、堀北(ほりきた)」

「数分前にね。あなたは未練がましく男子を見ていて、気が付かなかったようだけど。そんなに友達が欲しいなら話しかけてみたら？」

「うるさいほっとけ。それが出来るなら苦労せん」

「私が見てる限り、コミュ障というわけでもなさそうなのに」

「色々と事情があるんだよ、こっちには。はー……未だに会話できるのが堀北だけとは」

池たちともチャットのやり取りはするものの、まだ上手く会話は出来ない。

「ちょっと……改めて言っておくけれど、私を友達に含めないでね？」

心底気持ち悪いと言った顔で堀北はオレから距離を取る。

「大丈夫だ。幾ら落ちぶれててもその発想には至ってない」

「そう。少し安心したわ」

つか、どんだけ人付き合い嫌いなんだよ、こいつは。

「おーい綾小路」

突如、池の口からオレの名前が飛び出した。顔を上げると、笑顔で手招きしている。

「な、なんだよ」

ちょっと口ごもりながら立ち上がる。堀北はもうオレに関心を示していなかった。

ともかく、突如舞い降りた、友達の輪に入るチャンス。オレは池に近づいていく。

「実は今俺たち、女子の胸の大きさで賭けようってことになってんだけどさ」

「オッズ表もあるやで」

博士はタブレットを取り出しエクセルファイルを開く。

そこにはクラスの女子全員の名前が並んでいる。しかもオッズ付きだ。正直この賭け事には全く興味が無かったが、折角掴んだ友達になる機会を失うわけにはいかない。

「えーっと……じゃあ、参加しようかな」

「お！　やろうぜやろうぜ！」

今のところ、一番の巨乳候補は『長谷部』となっている。オッズは1・8倍。

ただ、オレには聞き覚えの殆ど無い名前だった。クラスメイトの名前すら覚えていない。

ダメすぎる。

「これ、思ったよりよく出来てるって言うか……お前ら観察しすぎだろ」

「そりゃ俺たち男だし？　常に頭の中はおっぱいやお尻のことばっかりだぜ！」

事実とはいえ口にしてしまっては身もふたもない。

ちなみにオッズの最下層グループには堀北の名前があった。当たれば30倍以上だ。

まあ、胸の場合は大よそ見た目で勝敗が決してるからな。まず堀北に勝ち目はない。

「で、どうする？　一口1000ポイントだ」

「なるほどな……」

情報不足で一覧を見ても、半数以上は胸の大きさどころか名前と顔が一致しない。

実際、堀北、櫛田以外の女子とは殆ど口もきいてないからなぁ。

櫛田も結構胸は大きそうだけど、それでも一位を狙えるほどじゃないしな。

「遊びなんだしいいじゃん。人数少ないとつまんねえしさ」

「俺もやるぜっ」「俺も俺もっ」「俺のおっぱいスカウターを舐めるなよ」

考えている間にもわらわらと男子が集まってきて、露骨に女子の胸の大きさで盛り上がり始める。教室に居た女子の一部からは一層汚物を見るような目を向けられる。

「俺も賭けるぜ。ちなみに佐倉だ」

山内がオレたちの間に割り込んでそう言った。佐倉と言えばメガネをかけた地味な女の子だ。殆ど誰とも話をしないので、正直言って詳細は全く分からない。

山内は何やら思うところがあるらしく、博士や池の肩を抱いてひそひそ話を始める。

「ここだけの話、俺実は佐倉に告白されたんだよ」

「は!? ま、マジで!?」

一番驚き、焦ったのは池。クラスで最初に彼女を作る目的は早くも失敗か?

「マジマジ。でもここだけの秘密だぜ? もちろんあんな地味な女フッたんだけどな。そんとき私服見たんだよ。あれは結構でかいぜ」

「ばっか、お前可愛くなくても巨乳なら付き合うべきじゃねーの?」

「俺は櫛田や長谷部クラスじゃないと付き合わないんだよ。あんな地味女興味ないね」

山内は本人が居ないからと容赦ない言葉を浴びせる。

というか告白されたって話も、どこまで信じていいやら怪しいものだ。

オレは結局決めきれず、上位に適当に賭けることにした。

1

「よっしゃプールだ！」

昼休みが終わり、ついに池たちが待ち望んだ水泳の授業がやって来た。

己の欲望を隠そうともせず、池は喜び勇み立ち上がった。池たちはグループで屋内プールへと向かいだす。オレもこそこそ後ろからついていこう。そう思っていた時だった。

「一緒に行こうぜ、綾小路」

「え？　そ、そうだな」

池からのお誘いに多少口ごもりながらも、オレはやや駆け足で合流し更衣室へ。

須藤は手早く着替えるために制服を脱ぎ始めた。バスケで鍛え抜かれた肉体が姿を見せる。他の生徒たちと比べても、明らかに一回り立派な体格をしている。

腰にバスタオルを巻く生徒たちとは裏腹に、須藤は堂々とパンツ一丁になる。そして、そのまま全裸になって水着を袋から取り出した。その態度に、思わず声を掛けてしまう。

「須藤、堂々としてるな。周り、気にならないのか？」

「体育会系がいちいち着替え一つで慌てるかよ。コソコソしてたら逆に注目の的だ」

それは言えてるかも。こういう場ではコソコソしてる奴がからかわれたりするもんだ。

「んじゃ、先行ってるぜ」

須藤は一瞬で更衣室を出てしまった。オレもさっさと着替えを済ませよう。

「うひゃあ、やっぱこの学校はすげぇなぁ！　街のプールより凄いんじゃね？」

競泳パンツをはいた池が、50Mプールを見るなり、そんな声をあげた。

水も澄んでいて綺麗そうだし、プールも屋内で天気の影響も受けない。環境は抜群だ。

「女子は？　女子はまだなのかっ？」

鼻をふんふんと鳴らしながら、池は女子を探す。

「着替えに時間かかるからまだだろ」

「なあ、もし俺が血迷って女子更衣室に飛び込んだらどうなるかな？」

「女子に袋叩きにされた上に退学になって書類送検されるだろうな」

「……リアルな突っ込みやめてくれよ」

池は想像して怖くなったのか、ぶるぶると身を震わせた。

「変に水着とか意識してると、女子に嫌われるぞ？」

「意識しない男が居るかよ！　……勃ったらどうしよう……」

きっとその瞬間から卒業するその日まで、池は嫌われ続けることだろう。

って、あれ？　何かオレ自然と池たちと会話出来てない？

つい今朝まで、入りたくても入れなかったグループに気が付けば片足を突っ込んでる。

もしかするとオレは今、友達が誕生していく瞬間を生で体験しているのかも知れない。

「うわ～。凄(すご)い広さ、中学の時のプールなんかより全然大きい～」

男子グループから遅れること数分、女子の声が耳に届いた。

「き、来たぞっ!?」

身構える池(いけ)。だからそんなに露骨だと嫌われるって。

とはいえ、オレだって気になる。長谷部(はせべ)とか櫛田(くしだ)とか、一応堀北(ほりきた)とか。

特に一番の巨乳と噂(うわさ)されている長谷部は、一度拝んでおいて損はないだろう。

ところがオレたち男子生徒全員の願いは思わぬ形で裏切られる。

「長谷部がいない！　ど、どういうことだ!?　博士(はかせ)っ！」

授業を見学する博士が慌てた様子で見学用の建物の2階から、全貌(ぜんぼう)を見渡している。

池たちが見逃した獲物を高台から、メガネの奥の小さな瞳で瞬時に見つけ出すはずだ。

だが――。その姿をどこにもとらえられない。

信じられないと言うように博士は首を左右に振る。まだ着替え中か？　それとも……。

「う、後ろだ、博士!!!」

「ンゴゴゴ!?」

池が指をさし叫び、事態が明らかになった。長谷部は博士と同じ見学組だったのだ。

続々と女子の面々が、見学組として2階に姿を現す。そこには佐倉(さくら)の姿もある。

「な、なんでだよ……これ、どういうことだよ！」

池は信じられないものを見るかのように頭を抱えてその場に崩れた。

長谷部は自分が美人だと自覚しているような女子だ。更に、付け加えて男子から好奇の視線を向けられることを煙たがっている。見学をする選択を選んでもおかしくはなかった。

「巨乳が、巨乳が見れると思ったのにっ、思ったのにぃっ！」

心中はお察しするが、池の叫びは悲しいかな長谷部にまで聞こえている。

キモ、と呟かれる始末。だから露骨すぎると嫌われるってあれほど……。

「池、悲しんでる場合じゃないぜ。俺たちには、まだたくさんの女子が居るっ！」

「そ、そうだな。確かにそうだ。ここで落ち込んでる場合じゃないよなっ」

山内と池が男同士の友情を確かめ合い、互いに手を取り合う。

「「友よ！」」

「二人とも、何やってるの？　楽しそうだねっ」

「く、くく、櫛田ちゃん!?」

二人の間に割って入るように、櫛田が顔を覗かせた。

スクール水着を着た櫛田は、妖艶な身体のラインが浮き彫りになっている。

男子の殆どが、一瞬櫛田の身体に釘づけになったことだろう。胸はDかEか。詳しくはないけどそんなところか。思っていたよりも遥かに大きい。程よくついた太ももやお尻の肉と言うか膨らみが、妙に生々しかった。だが、オレを含め男子はすぐに視線を逸らす。

ああ、今日もいい天気だなぁ……。世界平和って素晴らしい。

……生理現象が始まると大変な騒ぎだ。

「何を黄昏ているの？」

堀北は怪訝な様子でオレの顔を覗き込んできた。

「己との戦いに没頭していたんだ」

堀北の水着姿。何ていうか、うん、健康的でけして悪くはない。

でも凝視したら大変なことになりそうだったので、落ち着くまで我慢しておく。

「………」

と、何故か堀北はオレの全身を見ている。

「綾小路くん、何か運動してた？」

「え？　いや、別に。自慢じゃないが中学は帰宅部だったぞ」

「それにしては……前腕の発達とか、背中の筋肉とか、普通じゃないけど」

「両親から恵まれた身体貰っただけじゃないか？」

「とてもそれだけが理由とは思えない」

「お前はアレか？　筋肉フェチか？　言いきれるのか？　命賭けるか？」

「そこまで否定するなら、信じるけれど……」

どこか不満そうだ。どうやら堀北は、それなりに見る目があるつもりらしい。

「堀北さんは泳ぎは得意なの？」

櫛田からの質問に少しだけ怪訝そうな表情を見せたが、堀北は静かに答える。

「得意でも不得意でもないわね」

「私は中学の時、水泳が苦手だったんだ。でも一生懸命練習して泳げるようになったの」

「そう」

興味なさげに答え堀北は少し櫛田から距離を取った。これ以上会話したくないの合図だ。

「よーしお前ら集合しろー」

体育会系の文字を背負ったようなマッチョ体型のおっさんが集合をかけ授業が始まる。

体育の教師らしいが、男子からも女子からも、ちょっと引かれるタイプかもしれない。

「見学者は16人か。随分と多いようだが、まぁいいだろう」

明らかにただのサボりの生徒も混じっていただろうが、それを咎めることはなかった。

「早速だが、準備体操をしたら実力が見たい。泳いでもらうぞ」

「あの先生、俺あんまり泳げないんですけど……」

一人の男子が、申し訳なさそうに手を挙げる。

「俺が担当するからには、必ず夏までに泳げるようにしてやる。安心しろ」

「別に無理して泳げるようにならなくてもいいですよ。どうせ海なんていかないし」

「そうはいかん。今はどれだけ苦手でも構わんが、克服はさせる。泳げるようになっておけば、必ず後で役に立つ。必ず、な」

泳げるようになっておけば、役に立つ？　そりゃ、何かと便利になることは間違いないだろう。

けど、学校の先生がそう断言するのには少し違和感があるような。

ま、教師としてはカナヅチを治してやりたいって思いが強いのかも知れない。

全員で準備体操を始める。池はチラチラと女子の様子を窺って止まなかった。それから50mほど流して泳ぐよう指示される。泳げない生徒は底に足をつけても構わないらしい。

オレは去年の夏以来、久々のプールに入る。温度は適切に調整されているのか、冷たいと感じることは殆どなくすぐに身体に馴染んだ。それから軽く泳ぐ。

50m泳いだ後は、上にあがり全員が終えるのを待った。

「へへへ、楽勝楽勝っ。みたか？　俺のスーパースイミング」

軽快に泳ぎ、池はドヤ顔で上がって来た。いや、別に他の奴と変わった点はなかったぞ。

「とりあえずほとんどの者が泳げるようだな」

「余裕っすよ先生。俺、中学の時は機敏なトビウオって呼ばれてましたから」

「そうか。では早速だがこれから競争をする。男女別50M自由形だ」

「き、競争!?　マジっすか」

「1位になった生徒には、俺から特別ボーナス、５０００ポイントを支給しよう。一番遅かった奴には、逆に補習を受けさせるから覚悟しろよ」

泳ぎに自信がある生徒からは歓声が、自信のない生徒からは悲鳴が上がる。

「女子は人数が少ないから、5人を2組に分けて、一番タイムの早かった生徒の優勝にする。男子はタイムの早かった上位5人で決勝をやる」

学校側がポイントを景品にしてくることがあるなんて思ってもみなかった。もしかしたら今回欠席した生徒たちに発破をかけるためなのかもしれない。よく考えられている。

競争に参加するのは見学者と泳げない一人を除いた、男子が16人、女子が10人。まずは女子からスタートということで、男子たちはウキウキ気分でプールサイドに座り込み、女子を応援……品定めする。

「櫛田ちゃん櫛田ちゃん櫛田ちゃん櫛田ちゃん。はぁはぁはぁはぁ」

池はすっかり、櫛田に骨抜きにされてしまったようだ。

「怖いぞ池、落ち着け」

「だ、だって櫛田ちゃんクソ可愛いだろっ。胸もやっぱ結構でかいしさっ」

ぶっちぎりで男子の人気を集めたのは櫛田。後は平行線ってところだろうか。

顔だけで言えば間違いなく堀北もトップレベルだが、人付き合いを嫌う点が災いし人気は低めだ。それでも男子からすれば十分なご褒美であることには違いないのか、堀北がスタートラインに立つと歓声が上がる。

「皆、目に焼き付けろよ！　今日のおかずを確保するんだッ！」

「「おうっ！」」

なんだろう、この水泳を介して男子たちの絆が強まってる気がする。

唯一例外があるとすれば、平田だけはそんな目で女子たちを見ていなそうだったが。

笛が鳴り女子5人が飛び込む。堀北は2コース。序盤でリードすると、そのまま距離を離さず詰めさせずでトップを維持。危ぶまれる場面もなく見事50mを泳ぎ切った。

「お～～～～～！　やるなあ堀北」

タイムは28秒ほど。かなり早いんじゃないだろうか。息を乱すことなく堀北はゆっくりとプールサイドに上がる。

男子は結果など二の次、女子のぷりぷりのお尻に視線を釘づけにされていた。オレもつい堀北を見てしまう。唯一仲良く？してる女子だから、何かちょっと、あるよな。うん。

続いて第二レース。一番人気の櫛田は4コース。応援する男子たちに笑顔で手を振る。

「うひょおおおおお！」

悶える男子たち。中には股間をこっそり押さえるヤツまで。

自己紹介の時、櫛田はクラス全員と仲良くなると宣言していた。それはもうほぼ事実となったんじゃないだろうか。男子はもちろん、周囲には常に女子たちが居て楽しそうに談笑をしている。櫛田には他人を惹きつけて止まない雰囲気があるんだろう。

そしてスタートする第二レース。試合展開は一方的なものだった。小野寺という水泳部の女子がぶっちぎってゴール。タイムも26秒と申し分ない数字を叩きだしての完勝となった。櫛田も31秒台と中々の好タイムだったが、結果は総合4位。

プールサイドにあがって来た堀北に声を掛けに行く。

「惜しかったな。二位だってよ。現役の水泳部員相手ってのは、さすがに厳しかったか」

「別に。勝ち負けは気にしてないから。それよりあなたは自信あるの？」

「当たり前だろ。ビリにはならん」

「……それ、自慢することじゃないわよ。男子は勝ち負けに煩いと思っていたけれど」

「オレは競い合うのが嫌いなんだ。事なかれ主義だからな」

1位なんて最初から諦めてる。オレは補習さえ避けられればそれで十分だ。最初の組に配属されたオレは2コースで、隣の1コースには須藤がいた。運動部の須藤にペースを合わせるのは不可能だ、すぐ眼中から外す。とりあえずこの中でビリを避ければ、最下位は避けられる。それだけを考えながら、スタート台から飛び出した。

50mを物凄い勢いで泳ぎきり、須藤は水面に顔を出した。男女から驚嘆の声が上がる。

「やるじゃないか須藤。25秒切ってるぞ」

一方オレは36秒少し。どうやら10位だったようだ。よし、これで補習はなくなった。

「須藤、水泳部に入らないか？　練習すれば大会も十分に狙えるぞ」

「俺はバスケ一筋なんで。水泳なんて遊びっすよ」

この程度の水泳は運動のうちにも入らないのか、須藤は余裕な様子で上にあがって来た。

「あーやだやだ、運動神経抜群なヤツって」

池が妬むように須藤の肘を突く。

「きゃー！」

女子から悲鳴（喜びの）があがる。平田がスタート台に立ったらしい。

須藤の肉体は男から見て惚れ惚れするものだが、平田の身体は女子が惚れ惚れするものだった。華奢だけどしっかりしている。細マッチョという奴だ。女子の平田への声援を聞いて、池が唾を吐く仕草を見せる。須藤もちょっと気に入らない様子で平田を睨む。

「勝ち上がってきたら全力でたたき潰してやるぜ。この俺の全力をもってな」

水泳は遊びじゃなかったのか……。

先生の笛が鳴り、平田は綺麗なフォームでプールに飛び込んだ。平田の腕が水を掻くたびプールサイドの女子陣から歓声が上がる。泳いでいる姿も無駄に格好いい。

「意外と速いな」

須藤からは冷静な一言。確かに平田の泳ぎは速い。同時に泳ぐ他の男子4人より頭一つ抜きんでているのは間違いなかった。それがまた女子の悲鳴を誘う。

期待を裏切らず平田は1位でゴール。大きな黄色い歓声が屋内プールに響き渡った。

「先生、タイムは？」

池が食いつくように聞く。

「平田のタイムは……26秒13だな」

「よし、いけるぜ須藤。お前なら勝てる！　正義の鉄槌を下してくれ」

「任せとけ。徹底的にぶっ潰して、平田の人気を地に落としてやるぜ……」

池に応え燃える須藤だが、多分平田が負けても人気が落ちることはないだろう。

「平田くん、すっごく格好よかった！　サッカーだけじゃなくて水泳も得意なんだね」

「そうかな？　ありがとう」

「ちょっと、何平田くんに色目使ってんのよ！」

「はあ？　色目使ってるのはそっちじゃないの!?」

「きーっ！」

等々。もはや苛立ちを通り越して呆れるほどの平田の人気ぶり。

「やめたまえ。私を巡って争いをするのは。私は皆のものなのだよ。仲良く見ていたまえ。真の実力者が泳げば、どうなるのかを」

何をどう聞いたのか、高円寺は自分への歓声と勘違いしたらしい。

爽やかな笑みを浮かべ、高円寺がスタート台へと足をかける。

「なあ……高円寺のやつ、何でブーメランなんだよ……」

「さ、さぁ？」

　一応ブリーフ型水着は学校の指定で認可されているけど、このクラスでそれをはいているのは高円寺しかいない。女子は高円寺の股間の強調ぶりに顔を背ける。

　だが第三レース、注目すべきはやはり高円寺か。スタート前の作り込まれた姿勢はアスリートのようだ。事実姿勢だけでなく、肉体も須藤よりも上のレベルで完成されている。須藤含めクラスの運動自慢たちは、固唾を呑んで高円寺の泳ぎを見守ろうとしていた。

「私は勝負などに興味ないが、負けるのは好きじゃないんでねぇ」

　聞いてもいないのに自分で言う。笛の音と共に、高円寺はお手本のようなフォームで水中へと飛び込んだ。

「うおっ！　はええ！」

　想像以上のアグレッシブな泳ぎに、須藤が驚きの声をあげた。平田も唖然とした様子でその泳ぎを見つめる。強烈に波を立てているが速度は文句の付けようがない。さっきの須藤よりも間違いなく速い。タイムを切った先生が、思わず二度ストップウォッチを見やる。

「23秒22……だと」

「いつも通り私の腹筋、背筋、大腰筋は好調のようだ。悪くないねぇ」

　ざばりと上にあがって来た高円寺は余裕の笑みを見せ、髪をかきあげた。

　息が切れている様子もなく、本気を出して泳いだとは思えない。

「燃えて来たぜ……！」

須藤は負けたくないのかメラメラと闘志を燃やし始めた。正直、須藤以外じゃ高円寺に勝ち目はないだろう。事実上決勝戦は高円寺対須藤の一騎打ちだ。

「高円寺くんも須藤くんも泳ぐの速いから、凄く楽しみだねっ」

「あ、あぁ、そうだな」

ボケっと決勝戦の開始を待っていると、櫛田から声をかけられた。

水着一枚の美少女が隣にいるという緊急事態に、ドキがムネムネだ。

「ん？　どしたの？　なんか顔が赤いけど……。もしかして、体調悪くなったとか？」

「いやいや、そんなことは全然……」

「それにしても変わってるよね。4月から水泳の授業があるなんてさ」

「これだけ立派な屋内プールがあればこそだな。そういや櫛田、結構速かったな。中学の時苦手だったなんて信じられないくらいだ」

「綾小路くんだって普通に泳げてたじゃない」

「普通止まりだけどな。運動もそれほど好きじゃないし」

「そうなの？　でも、なんかその、凄く男の子らしいよね。綾小路くんって。細身だけど、バスケットしてる須藤くんよりガッチリしてるって言うか」

マジマジと驚いたようにオレの身体を見る櫛田。堀北に見られてる時の10倍緊張する。

「生まれつき筋肉質なだけで、別に特別な理由はないぞ。事実帰宅部だし」

上手(うま)い具合に会話が繋(つな)がっている。ちょっと緊張するけど、この満たされていく感情は何だ。このままもうしばらく、櫛田と二人きりで話していたいぞ。

「うお、すげぇ高円寺。須藤に圧勝じゃん……って、何やってんだよ綾小路！」

どうやら決勝戦は高円寺が須藤を5メートルほど離しての優勝だったらしい。試合観戦を終(お)えた池(いけ)が、鬼の形相(ぎょうそう)でオレに飛び掛かって来た。

「な、何って別に。何もしてないぞ」

「してんじゃねえか！」

がっと腕を首に回され、耳打ちされる。

「櫛田ちゃんは俺が狙(ねら)ってんだから、邪魔すんなよなっ」

別に邪魔するつもりはないけど、世の中には出来ることと出来ないことがある。池くらいのレベルで落とせるような女の子じゃないと思うぞ、櫛田は。もちろんオレもだが。

○友達

「桔梗ちゃん、帰りにカフェ寄ってかない？」

「うん、行く行く！　あ、でもちょっと待ってね。もう一人誘ってみるね」

櫛田は女友達に断りを入れ、鞄に教科書を詰める堀北の元へとやって来た。

「堀北さん。私、これから友達とカフェに行くんだけど良かったら一緒にどうかな？」

「興味ないから」

問答無用、一刀両断に櫛田の誘いを切り捨てる。

これから買い物をする予定があるとか、誰かと待ち合わせてるとか、嘘でもいいのに言えないのか。露骨な拒絶を見せる堀北。だけど櫛田は笑顔を崩さない。

こんな光景は、何も珍しいものじゃなくなっていた。入学してから櫛田は定期的に、こうして堀北を遊びに誘っている。少しくらい応えてやればいいのにと思うのは、傍観者の勝手な解釈だろうか。だが、堀北が一人を望むことを、誰も否定することは出来ない。

「そっか……じゃあ、また誘うね」

「待って、櫛田さん」

堀北が珍しく櫛田を呼び止めた。もしかしてついに、櫛田の誘いに折れたのか？

「もう私を誘わないで。迷惑なの」

冷たくあしらうようにそう言った。

だが櫛田は寂しそうな顔を見せることもなく、笑顔を絶やさずこう返したのだ。

「また誘うねっ」

櫛田はそれからいつものように友達の元へ駆け寄り、グループで廊下に出ていく。

「桔梗ちゃん、もう堀北さんを誘うの止めなよ。私あの子嫌い――」

教室の扉が閉まる寸前、そんな女子の声が微かに聞こえて来た。

その言葉は傍に居た堀北にも聞こえたはずだが、少しも意に介した様子が無い。

「あなたまで、余計なこと言ったりしないわよね？」

「ああ。お前の性格は十分理解したつもりだし。無駄だろうからな」

「一安心だわ」

帰り支度を済ませた堀北は、自分のペースで一人教室を出て行った。

オレは少しだけ教室でボーっとしていたが、すぐに飽きて席を立った。帰るかな。

「綾小路くん、少しいいかな？」

まだ残っている平田たちの前を横切るとき声をかけられた。俺は構わないと平田に小さく返事をする。平田から声を掛けられるなんて珍しいこともあるもんだ。

「堀北さんのことなんだけど、どうにかならないかな。女子からちょっと意見が出ててね。

彼女いつも一人だから」

櫛田のグループ以外からも、煙たがられ始めてるってことか。

「もう少し仲良くするように言って貰えないかな？」

「それは個人の自由じゃないのか？　堀北が誰かに迷惑をかけてるわけじゃない」

「もちろん分かってるよ。だけど、心配する声も多いからね。僕はクラスの中で絶対に虐めなんて問題を起こさせるつもりはないから」

虐め？　飛躍的な話だと思ったが、もしかするとそんな動き、兆候があるのかも知れない。だから警告してくれたのか？　平田は真っ直ぐ純真な目をオレに向けてくる。

「オレに言うより平田から直接言った方がいいぞ」

「……そうだね。ごめん、変なこと言って」

堀北は日に日にクラスから孤立していく。あと1か月もすれば完全にクラスの腫物だ。

もちろん、それは堀北個人の問題であって、オレが関与するべきことじゃないが。

1

学校を出たオレは真っ直ぐ寮に足を向けた。そこには友達と出かけたはずの櫛田が、誰か待っているのか壁に寄りかかっていた。オレに気づくと櫛田がいつもの笑顔を向ける。

「良かった。綾小路くんのこと待ってたんだよ。ちょっと話がしたくって。少しいいかな？」

「別にいいけど……」

まさかの告白……なんて展開は、1％くらいしか考えていないぞ。

「率直に聞くね。綾小路くんは、堀北さんが笑うところ、一度でも見た？」

「え？　いや……覚えはないな」

どうやら櫛田もまた、堀北のことでオレに話があったようだ。そして、思い返してみるが、堀北の笑ったところは見た覚えがない。櫛田がオレの手を掴み、ぐっと距離を縮めてくる。華の香り？　ものすごく心地よい香りが鼻腔をくすぐる。

「私ね……堀北さんの友達になりたいんだっ」

「お前のキモチは十分伝わってるよ。最初は色んな子が堀北に声かけてるみたいだったけど、今でも声かけてくれるのは櫛田だけだからな」

「綾小路くん、よく見てるんだね、堀北さんのこと」

「見てるっつーか、隣の席だとどうしても情報が入って来るんだよ」

女子は女子で、入学初日からグループ作りに躍起になっていた。男子よりも派閥、縄張り意識のようなものが強いのか、20人ほどのこのクラスでも4つほどの勢力が出来上がっている。大勢と仲良くしつつも、どこかでけん制し合っていると言うか。

ただその中でも例外なのは、今目の前に居る櫛田だ。どのグループにも顔が利き、それだけにとどまらず絶大な人気者になり始めている。堀北に対してもあくまで物腰柔らかく、友達になろうと粘り強い行動を続けている。こんなこと、普通の生徒にはやろうと思っても出来ないことだ。そんな部分こそ、皆から慕われる理由なのかも知れないな。

おまけに可愛い。

おまけが一番の魅力なのは、世の中の商品にもありがちなパターンだろう。

「堀北に釘刺されただろ？　次、どんなこと言われるか分かったもんじゃないぞ」

あいつが歯に衣を着せるタイプじゃないことは分かっている。下手すれば、今以上にきつい言葉を浴びせられるかも知れない。そのことで櫛田が傷つくのは、正直見たくないな。

「協力……してもらえないかな？」

「うーん……」

オレは即座に返事をしなかった。普通こんな可愛い子にお願いされたら、一発で承諾するところだ。ただ、事なかれ主義のオレとしては前向きにはなれない。それに堀北の容赦ない言葉で櫛田が傷つくところを見たくない。ここは断腸の思いで断ることにしよう。

「櫛田のキモチは分かるけど……」

「ダメ……かな？」

可愛い＋お願い＋上目遣い＝致死。

「……仕方ないな。今回だけだぞ？」

「ほんと!?　ありがとう綾小路くん！」

オレが協力すると聞き、心底嬉しそうに笑う櫛田。

……可愛い。今すぐ付き合ってくださいと口走ってしまいそうになるくらいだが、事なかれ主義のオレにそんな無茶なことが出来るはずもない。

「で、具体的にどうしろって？　一口に友達になりたいって言っても、簡単じゃないぞ」

何をもって友達とするかは、オレも答えを出せない難しい問題だ。

「そうだね……。まずは堀北さんの笑ってるところを見る、かな？」

「笑ってるところねぇ」

笑顔を見せる行為は、相手に少しでも気を許しているからこそ出来ることだ。そんな関係になれば必然、それは友達と呼べるかも知れない。

笑顔を見る、という点に着目する辺り、櫛田は人のことを良く分かっているのかもな。

「笑わせるためのアイデアはあるのか？」

「それは……これから綾小路くんと考えようかなって」

てへっと申し訳なさそうに、自分の頭を軽くグーで叩く仕草を見せた。

ブスがやったら殴り飛ばしてるところだが、櫛田だと高ポイントだ。

「笑顔ねえ……」

櫛田のひょんなお願いにより、オレは堀北の笑顔を見るための手伝いをすることになった。果たしてそんなことが本当に可能なんだろうか？　甚だ疑問である。

「とりあえず放課後になったら、堀北を誘い出してみるよ。寮に戻られたら手も足も出ないからな。どこか希望の場所はあるか？」

「あ、じゃあパレットなんてどうかな？　私はよくパレット利用してるし、堀北さんも何となくそのことが耳に入ってるんじゃないかな？」

　パレットって、学校内でも1、2を争う人気のカフェだった気がする。

　確かに放課後、櫛田はよく他の女子とパレットに行く話をしている。

　オレですら耳にしているくらいだから、堀北も無意識のうちに覚えているだろう。

「二人がパレットに入って注文したら、その後ばったり、でいいかな？」

「いやそうだな……それじゃちょっと甘いかもな。櫛田の友達にも協力って頼めるか？」

　堀北は櫛田の存在に気付いた瞬間帰ってしまうかも知れない。出来れば席を立ちにくいという状況を作っておきたい。オレは即席で考えたアイデアを櫛田に話して聞かせる。

「おぉ～。それなら確かに、凄く自然かも！　綾小路くん頭いいんだね！」

　櫛田は、うんうんと何度も頷きながら、目を輝かせて話を聞いていた。

「頭とか別に関係ないんじゃないか？　とりあえず、そんな感じで」

「分かった、期待してるねっ！」

　いや、そんな期待されても困る。

「櫛田ですら門前払いなのに、果たしてオレが誘って、まず堀北が来るかどうか」

「大丈夫だよ。堀北さん、綾小路くんのことは信用してると思うから」

「どうしてそう思う？　根拠を示せ根拠を」

「うーん、何となく？　だけど、少なくともクラスの誰よりも信用されてるはずだよ？」

それは他に適した人が居ないだけではないだろうか。

「オレが堀北と話せるようになったのだって、なんつーか偶然だからな」

たまたまバスで出会って、たまたま席が隣同士だった。

どちらか一つでも欠けてたら、多分口すら利いていなかったかも知れない。

「人との出会いは、殆ど偶然じゃない？　それが友達になって、親友になって……恋人、家族になっていくんだよ」

「……なるほど」

言われて見ればそうかも知れない。こうして櫛田と話すようになったのも偶然だしな。

ということは、やがてオレと櫛田が恋人関係になると言うこともあるわけだ。

2

やってきました放課後。生徒たちは各々放課後ライフを楽しむために、どこに行くか相談し合っている。一方オレと櫛田は目配せして、作戦決行を確かめ合う。

ターゲットとなる堀北は、いつものように一人黙々と帰り支度を始めている。

「なあ堀北。今日、放課後暇か？」

「時間を持て余している暇はないわね。寮に戻って明日の準備もあるし」

明日の準備って、ただ学校に来るだけだと思うんだが。

「少し付き合ってほしいんだが」

「……何が狙い？」

「オレが誘うと狙いがあるように思えるのか」

「突然誘われれば、疑問に感じるのは自然な流れじゃないかしら。具体的な用件があるようなら、話くらい聞いても構わないけれど？」

もちろんそんなものはない。

「学校にさ、カフェあるだろ？　女の子がいっぱいいる。あそこにさ、一人で行く勇気が無いんだよ。男子禁制って感じするだろ？」

「確かに女子の比率が高いことは間違いないけれど、男子も利用しているはずよ？」

「そりゃな。でも一人で行ってる奴はいないんじゃないか？　女の子の友達だったり、あるいは彼氏だったり。その類しか利用してないと思うぞ」

堀北はパレットの様子を思い返しているのか、少しだけ考える仕草を見せた。

「確かにそう、かもしれないわね。珍しく綾小路くんの意見に一理あるわ」

「でも興味はあるんだよな。だから一緒に行ってくれないかと思って」

「そして当然、他に誘う相手……は居るはずもない、と？」

「やや言い方は引っかかるが、そう言うことだ」

「断るって言ったら？」

「そりゃ、それまでだな。諦めるしかない。お前のプライベートの時間を割いてくれと、無理強いすることは出来ないさ」

「……分かったわ。確かに男子だけで利用しにくいという話は、本当のようだし。あまり長い時間は無理だけど。それでもかまわない？」

「ああ。すぐ終わるよ」

多分、と心の中で付け加えておく。これで櫛田絡みだと知られれば、オレは堀北から強く責められるだろう。

櫛田と話せるからとかそんなことよりも、多分オレは堀北に一人でも友達が出来てくれたらと、そう思い始めていたのかも知れない。

それにしても、説明会といいカフェといい、堀北は難癖を付けながらも付き合ってくれる。これで友達が出来ないって言うんだから不思議なもんだ。

早速二人で目的地へと出発し、校舎一階にあるカフェ、パレットにたどり着いた。

放課後を楽しもうと、続々と女子たちが集まってきている。

「凄い人数ね」

「堀北も放課後は初めてか？　あ、そうか。ボッチだもんな」

「それは嫌味のつもり？　子供ね」

仰る通り嫌味だったが、堀北には案の定通じないようだ。

注文を終えて、二人でドリンクを受け取る。オレは1つパンケーキも頼んでおいた。

「甘いもの好きなの？」

「これを食べたくってさ」

ケーキそのものは好きでも嫌いでもないけど、もっともらしい理由を作っておいた。

「でも席が空いてないわね」

「ちょっと待つか。あ、いや、あそこが空きそうだな」

二人掛けテーブルの女子たちがスッと立ち上がるのを見て、オレは足早にその場所を確保。奥側へと堀北を通す。鞄を足元に置いて椅子に座り、何気ない様子で左右を見渡した。

「アレだよな。周りから見たら、オレたちカップルに見えたりし……ないだろうな」

堀北の顔は無表情、というかやや冷たい感じがする。オレもこの混雑の中落ち着かないのと、これから起こることを想定して胃が痛い。

行こっか、という声と共に隣の席の女子が二人ドリンクを手に取り席を立った。

そしてまたすぐ、新たな来客で埋められる。それが櫛田だ。

「あ、堀北さん。偶然だねっ！　それに綾小路くんも！」

「……よう」

あくまで偶然を装い櫛田が軽く挨拶する。堀北は細めた目で櫛田を見た後、ゆっくりとオレを見た。当然これは櫛田と予め示し合わせたものだ。先に櫛田の友達に4席分を確保してもらっておき、オレがパレットについたら目配せで合図を送りまず2席を空けてもらう。しばらくして、今度は残った隣の席を空けたところで櫛田が滑り込むというわけだ。

これならあくまでも偶然が引き寄せた出会いにしか見えまい。

「綾小路くんと堀北さんも二人でここ、来るんだ？」

「たまたま、だな。お前こそ一人か？」

「うん、今日はちょっとね——」

「私帰るわ」

「お、おい、まだ席に着いたばっかりだろ」

「櫛田さんが居るなら私は必要ないでしょう？」

「いや、そう言う問題じゃないだろ。オレは櫛田とはクラスメイトってだけだし」

「それは私とあなたの関係も同じよ。それに……」

オレと櫛田を、冷ややかな視線で一瞥する。

「気に入らないわね。何がしたいの？」

こっちの作戦を看破しているかのような発言だった。でも、カマかけかも知れない。

「や、やだな、偶然だよ？」

出来れば櫛田(くしだ)には、そう発言してほしくは無かった。

どういう意味？　と堀北(ほりきた)の誘導に気づいていないフリをするのが正解だ。

「さっき私たちが座る前、ここに居た二人は同じDクラスの女子だった。それに、隣に居た二人もそう。これがただの偶然かしら？」

「良く知ってるんだな、全然気づかなかった」

「それに放課後になって、私たちは寄り道せず真っ直(まっす)ぐここに来たのよ？　彼女たちがどれだけ急いだとしても着いて精々1、2分。まだ帰るには早すぎる。違う？」

堀北は、オレが思っていたよりもずっと観察力の高い人間だったようだ。

クラスメイトの顔ぶれを覚えてるだけじゃなく、席の状況までしっかりと把握していた。

「えぇーっと……」

困惑した櫛田は、思わずオレの方へと救いを求める合図を送っていた。

それを見逃す堀北じゃない。これ以上の誤魔化(ごまか)しは余計な苛立(いらだ)ちを募らせるだけか。

「悪い堀北。ちょっと根回しした」

「でしょうね。最初から少しおかしいとは思っていたし」

「堀北さん。私と友達になってください！」

もはや隠すことなどせず、正面から櫛田が切り込んでいった。

「何度も言っているると思うけれど、私のことは放っておいてほしいの。クラスに迷惑をかけるつもりもない。それじゃあいけないの？」

「……一人ぼっちの学生生活なんて寂しすぎるよ。私は、クラスの皆と仲良くしたいな」

「あなたがそう思うことを否定するつもりはない。でも、それに他人を巻き込むのは間違ってる。私は一人を寂しいと感じたことはないもの」

「だ、だけど……」

「それに、仮に仲良くなることを強いたとして私が喜ぶとでも？　そんな強制されたものの中に友情や信頼関係が生まれると思う？」

堀北の言葉は何一つ間違っていない。堀北は友達を作れないんじゃない、必要ないと思っている人間だ。櫛田の一途で真っ直ぐな思いが、堀北に響くことは無い。

「今までちゃんと伝えていなかった私にも落ち度がある。だから今回の件は責めない。だけど次に同じことをしたら、その時は容赦しないから覚えておいて」

そう言うと、一口も飲んでいないカフェラテの入ったコップを持ち立ち上がった。

「私、堀北さんとどうしても仲良くなりたいの。なんか、初めて会った気がしないって言うか――堀北さんも、同じように感じてくれてたらな、なんて思ってる」

「これ以上は時間の無駄よ。私にとってあなたの発言全てが不愉快なの」

やや語気を荒げ堀北は容赦なく言葉を遮った。思わず言葉を飲み込む櫛田。

オレは櫛田に協力こそしたが、口出しするつもりは全くなかった。けれど――

「何となく堀北の考えも理解できないじゃない。オレも友達の存在意義ってなんだろう、本当に必要なのか？って思ったことは一度や二度じゃないからな」

「あなたがそれを言う？　入学初日からずっと友達を求めていたでしょ」

「そこは否定しない。けど、オレはお前と同じタイプだよ。少なくとも中学卒業までは。オレはこの学校に入学するまで友達が出来たことがなかったからな。誰の連絡先も知らなかったし、放課後一緒に遊んだりしたこともない。完全なボッチだ」

俄かには信じられないと言った様子で、櫛田は驚きを見せていた。

「お前と何となく会話が弾んだのも、案外そんな部分が影響したのかって思ったよ」

「それは初耳ね。ただ、仮に私たちにそんな共通点があったとしても、そこに至るまでの過程は別ものじゃないかしら。あなたは友達が欲しくても作れなかった。私は友達が不要だから作らなかった。つまり似て非なるものと言うこと。違う？」

「……かもな。けど、櫛田に対して不愉快ってのは言い過ぎだ。お前は本当にいいのか？このまま誰とも仲良くならない道を選ぶってことは、3年間一人ぼっちってことだ。それは結構苦痛だぞ」

「9年間続けてるから平気よ。あ、少し訂正するわ、幼稚園も含めればもっと長いわね」

サラッと凄いことを口にしなかったか？　こいつひょっとして物心ついてから、ずっと一人で過ごしてきたってことか？

「もう帰ってもいいかしら？」

堀北は一度深いため息をつくと、櫛田の目を真っ直ぐに捉えた。

「櫛田さん、あなたが無理に私に関わらなければ、私は何も言わない。約束する。あなたはバカじゃないのだから、この発言の意味が分かるかしら？」

「それじゃ」と一言かけ、堀北は店を去って行く。騒がしいカフェの中、オレと櫛田の二人だけが取り残されてしまう。

「失敗、だったな。助け船出そうと思ったけど無理だった。あいつは孤独に慣れ過ぎてる」

ストン、と無言で腰を落とす櫛田。だが次の瞬間にいつもの笑顔をこちらに向けていた。

「ううん、ありがとう綾小路くん。確かに友達になることは出来なかったけど……でも、大切なことを知ることができたから。私はそれで十分。だけどごめんね、私のせいで堀北さんに嫌われるような真似、手伝わせちゃった」

「気にするな。オレも、堀北に友達を持つ良さを知ってもらいたかったし」

とりあえず、二人で4席を抑えるのは迷惑なので、櫛田のテーブルへとオレは移った。

「それにしても、驚いたよ。綾小路くんに友達がいなかったって話。本当なの？　全然そんな風には見えなかったから。どうして一人ぼっちだったの？」

「ん？　ああ本当だよ。須藤や池たちが初めて出来た友達だ。自分のせいなのか環境のせいなのか、未だはっきりしない」

「やっぱり友達が出来ると、嬉しい？　楽しい？」

「そうだな。煩わしいと感じることもあるけど、喜びの方が勝ってる感じかな」

櫛田は目を輝かせるようにして笑顔を見せ、うんうんと頷いた。

「ただ堀北には堀北の考え、目的がある。もう割り切ってしまうしかないかもな」

「そう、なのかな？　もう友達にはなれないのかな？」

「なんでそんなに必死なんだよ。櫛田は誰よりも友達を多く作ってるだろ？　堀北一人が居ないからって、そんなに強くこだわる必要はないだろ」

クラス全員が仲良くするに越したことは無いが、ここまで必死になることだろうか。

「私は誰とだって仲良くなるつもりだったから……。それこそ、Dクラスだけじゃなくて、他所のクラスの子とかともね。でも、クラスの女の子の一人とも仲良くなれないんじゃ、そんな目標は達成できないよね……」

「堀北が特殊なだけだと思うぞ。あとは、それこそ本当の偶然を待つしかないな」

仕組んだものじゃなく、何か二人を結びつける出来事が起これば。

あるいはその時に初めて、友達になれるチャンスが訪れるかも知れない。

○終わる日常

「ぎゃはははは！　ばっか、お前それ面白すぎだって！」

2時間目数学の授業中、今日も池が大声で談笑していた。相手は山内だ。入学してから3週間、池と山内の2人に須藤を合わせて陰で3バカトリオなんて呼ばれている。

「ねえねえ、カラオケ行かない？」「行く行くー」

その近くでは、女子グループが早くも放課後の約束をして盛り上がっていた。

「悩んでる間は長いのに、打ち解けたら一瞬なんだよなぁ」

「綾小路くんも、随分友達が増えたんじゃないの？」

黒板とノートを交互に見て、書き写しながら話しかけて来た堀北。

「まあぼちぼちとな」

最初は不安だったものの、コンビニでの須藤との一件、部活説明会、プールでのやり取りをキッカケに、池や山内たちともたまにご飯を食べる仲にはなっていた。

親友とは程遠いまでも、気が付けば友人と呼べる関係にまで発展している。

人間関係とはかくも不思議なもので、いつ明確な友達になったのか今やよくわからない。

「うーっす」

授業も後半に差し掛かろうかという頃、教室の入り口が五月蠅く音を立てて開き須藤が登校してきた。授業中ということも気にもせず眠そうに欠伸をしながら席に着く。

「おせーよ須藤。あ、昼飯食いに行くだろ?」

池が離れたところから須藤に声をかける。数学教師は注意するどころか須藤に目もくれず授業を続けている。普通ならチョークの一本でも飛んできそうなもんだが、不思議なことに放任主義なのか、全ての教科の先生が私語も遅刻も居眠りも、全て黙認。その態度に最初は遠慮がちだったクラスの連中も、今では自由気ままに過ごしている。

まぁ、堀北のようにずっと真面目に勉強してる生徒もごく少数だが居るけども。

ポケットが震え携帯に連絡が届いた。男子の一部で作ったグループチャットだ。どうやら昼に食堂で飯を食べようという流れになっているらしい。

「なあ堀北。昼、一緒に食わないか?」

「遠慮しておくわ。あなたたちのグループには品がないから」

「……それは否定しない」

男同士だと話題が女子とか下ネタばかりになってくるし。誰々が可愛いとか、誰と誰が付き合ってどこまで進展したとか。女子を交えるのはあまりよろしくないかも知れない。

「うへえ……マジか、もう彼女ができたのか。すげぇな」

どうやら池たちの情報によると、平田とクラスメイトの軽井沢が付き合っているらしい。

軽井沢の姿を探すと、遠く離れた席から平田に明らかにラブラブな視線を送っていた。

軽井沢の印象を語ると、何というか可愛くないわけじゃない。ただ、ちょっと恋愛ビギナーには近寄りがたい雰囲気があると言うか。つまりギャル系なんだよな、バリバリの。きっと中学時代も平田みたいなイケメンを食いまくっていたんだろう。勝手な想像だが大きくは間違っていないはずだ。おっと、思わず名誉棄損と言われてもおかしくないほど、毒を吐いてしまった。さすがに軽井沢に失礼だ、心の中で謝る。

「その顔、嫌いね」

堀北が冷たい視線を向けて来た。ゲスい考えを見透かされたらしい。

入学してすぐにカップルになるとか、一体どんな手順を踏んだらそうなるんだよ。こっちは友達(ともだち)を作ることにも一苦労してるってのに。

いっそ「オレたちも付き合っちゃう?」とか堀北に言って——絶対ぶん殴(なぐ)られるな。

それに、オレも彼女を作るならもっとおしとやかで優しい子がいい。

1

3時間目の社会。担任の茶柱(ちゃばしら)先生の授業だ。授業開始のチャイムが鳴っても騒ぎ立てている教室に茶柱先生がやって来る。それでも生徒たちの高いテンションは変わらない。

「ちょっと静かにしろー。今日(きょう)はちょっとだけ真面目(まじめ)に授業を受けて貰(もら)うぞ」

「どういうことっすかー。佐枝(さえ)ちゃんセンセー」

既にそんな愛称で一部からは呼ばれ始めていた。

「月末だからな。小テストを行うことになった。後ろに配ってくれ」

一番前の席の生徒たちにプリントを配っていく。やがてオレの机に1枚のテスト用紙が届く。主要5科目の問題がまとめて載った、それぞれ数問ずつの、まさに小テストだ。

「えぇ～聞いてないよ～。ずる～い」

「そう言うな。今回のテストはあくまでも今後の参考用だ。成績表には反映されることはない。ノーリスクだから安心しろ。ただしカンニングは当然厳禁だぞ」

妙に含みのある言い方が少しだけ引っかかった。普通成績っていうのは成績表にのみ反映されるものだ。でも、茶柱(ちゃばしら)先生が言った言葉は少しだけ違う。成績表に『は』ということは、成績表以外のものには反映される、と言っているように思える。

まあ……気にしすぎか。成績表に影響がないのなら警戒する必要はないだろう。

いきなりの小テストが始まり、オレも問題に目を通す。一科目4問、全20問で、各5点配当の１００点満点。それにしても拍子抜けするほど、殆(ほとん)どの問題が非常に簡単だ。

受験の時に出た問題よりも2段階くらい低い。幾ら何でも簡単すぎだろう。

そう思いながら最後まで問題用紙に目を通すと、ラストの3問くらいは桁(けた)違いの難しさだった。数学最後の問題は、複雑な数式を組み立てなければ答えは出そうにもない。

「いや……この問題はマジで難易度高いぞ……」

高校1年で解けるようなレベルじゃないように見える。明らかに異質で、最後の3問だけはこのテストに載っていることそのものがミスじゃないかと思えるほどだ。

成績に反映するわけでもないのに、このテストで一体何を計ろうと言うのか。

ま、こっちは試験の時と同じようにやるだけだけども。

茶柱先生は一応監視だけはするつもりなのか、ゆっくりと教室を巡回しながら生徒たちが不正行為をしないよう見張っていた。カンニングと思われないよう堀北を盗み見ると、右手に持ったペンは迷うことなく答えを埋め続けている。軽く満点とか取りそうだな。

それから授業終了のチャイムが鳴るまで、オレはテスト用紙と睨めっこを続けた。

2

「お前さ、正直に言えば許してやるぞ？」

「何だよ正直にって」

昼飯を終えたオレは、須藤たちと一緒に自販機傍の廊下に座り込み雑談をしていた。

そんな中突如、池がオレににじり寄って来たのだ。

「……俺たちは友達だよな？　3年間苦楽を共にする仲間だよな？」

「あ、ああ。そうだけど」

「当然……彼女が出来たら報告するよな？」

「は？　彼女？　そりゃ、出来ることがあればな」

池はオレの肩に腕を回す。

「堀北と付き合ったりしてるんじゃないだろうな？　抜け駆けは絶対に許さないからな」

「……はぁ？」

気が付けば山内も須藤もオレを怪しむ目で見ていた。

「バカ、付き合ってないって。全然。いや、マジで」

「だってお前ら今日も授業中コソコソ何かしゃべってただろ。俺たちに聞かせられない話でもしてたんだろ。デートとか、デートとか、デートの約束とか！　あああ、裏山！」

「ないない。そもそも堀北ってそう言うキャラじゃないだろ」

「しらねーよ。俺たち話したこともねぇのに。名前だって櫛田ちゃんから聞かなかったら未だに知らなかったかも知れないレベルだぜ？　影薄いっつか、絡まなすぎ」

そういやそうか。堀北がオレか櫛田以外と喋ってる姿はオレも殆ど見た覚えがない。

「だとしても名前も知らないって、それはひどすぎだろ」

「だったら綾小路は、クラスメイトの名前全部覚えてんのかよ」

……ちょっと思い出してみるが、半分も出てきそうになかった。なるほど、納得だ。

「顔だけはすげぇ可愛いじゃん？　だから注目はしてるわけよ」

うんうんと頷く山内たち。

「性格がきついけどな。俺はああいう女はダメだ」

須藤がコーヒーを飲みながら言った。

「そうなんだよ、トゲトゲしいというかなんというか。俺は付き合うならもっと明るくて会話が自然と続くような子がいいな。もちろん可愛くて。櫛田ちゃんみたいな」

やはり池のお気に入りは櫛田か。

「あー櫛田ちゃんと付き合いてー。つか、エッチしてー！」

山内が叫ぶ。

「ばっか、お前が櫛田ちゃんと付き合えるかよ！　想像すんのも禁止な！」

「お前こそ付き合えると思ってんのかよ池。俺の中じゃ、もう櫛田ちゃんは俺の横で寝てるっつの！」

「なんだと！　こっちはコスプレやらすげぇポーズを取ってんだぞ！」

二人して妄想上の櫛田を奪い合いだ。おいおい。何を想像しても高校生の自由だが、それはさすがに櫛田に失礼だろ。

「須藤は誰狙いよ。バスケ部にも可愛い子は居るって噂だぜ？」

「あ？　俺は別に、まだいねぇよ。新入部員が女の品定めしてる余裕なんてないっつの」

「本当かよ……。とにかく彼女が出来たら隠さず報告すること、いいな！　絶対だぞ！」

「あ、ああ」

気持ち悪いほど念を押されたので頷いておく。彼女といえば、で平田のことを思い出す。

「そういや平田、軽井沢が彼女になったんだって？」

「あーそうなんだよ。先日二人で手繋ぎながら歩いてるところを本堂が見たんだってよ」

「ありゃ間違いなく出来てるな。肩寄せ合って歩いて」

「やっぱアレかな。もうエッチしたんかな」

「そりゃしてるだろー。あー羨ましい、羨ましすぎる……！」

高校一年でエッチとか、もう何だこの現実離れした感じ。でもしてんだろうなぁ。

……ついつい考えてしまうオレもこいつらと同類だな。

「エッチ経験者の話が聞きてぇ……」

山内が廊下に寝そべって本能をぶちまける。

「平田に聞けばいいだろ」

「お前な、平田に聞いて素直に内容教えてくれると思うか？　おっぱいどんなだったとか、処女だったのか？　とか、あれはやっぱり舐めたん？　とか」

お前はどんな経験談を聞き出すつもりなんだ……。

ちょっと飲み物を買おうと近くの自販機へ向かう。 すると山内から要求が飛ぶ。

「俺ココアー」

「人にたかろうとするなよ。飲み物くらい自分で買ってくれ」

「いや、俺もうポイント殆ど残ってないんだよな。あと2000くらい」

「……お前、3週間で9000ポイント以上も使ったのか？」

「欲しいもの買ってたらつい。ほら、これ見ろよ。すげえだろ！」

そう言って山内が取り出したのは携帯ゲーム機だった。

「池と一緒に買いに行ったんだ。ＰＳＶＩＶＡだぜＰＳＶＩＶＡ。こんなんも学校に売ってるとか凄すぎだろって、マジで」

「それ幾らしたんだよ」

「2マンちょいかな。オプションもろもろで25000くらい」

そりゃ、すぐにポイントも無くなるな。

「普段はあんましゲームやんないんだけどよ、寮生活だから仲間がすぐ集まるんだよな。それにクラスに宮本って奴居るだろ？　あいつがまたゲーム上手いんだよ」

宮本っていえば、クラスでも体格がふっくらとした男子生徒だ。直接話したことはないが、いつもゲームやアニメの話題で誰かと話している印象があった。

「お前も買って参戦しようぜ。須藤も来月ポイントが入ったら買うって話になってんだよ」

周囲の連中は既に囲い込んでいるらしい。山内がモノは試しとゲーム機を渡してくる。

手渡された機械を手にすると、思っていたよりもずっと軽い。モニターに視線を落とすと、
大きな刀を背負った戦士が村で豚を撫でている。これは……あれか？　良く分からない世界観だな……。

「正直、俺はあんまり興味ねーけどな。戦う系のゲームか？」

「お前もしかしてハンター・ウォッチ知らねえの？　世界で累計480万本以上売れてんだぜ！　俺小さい頃からゲームセンス抜群でさ、海外のプロにスカウトされたこともあんだよ。ま、その時は断ったんだけどよ」

世界規模で勝手に語られても、それで凄いか凄くないかは別の問題だろう。世界の人口は70億もいる。つまりこのゲームを買った人間はその0・1％にも満たない。

「そもそも、なんでこんな華奢そうな女の子が重装備なんだよ。防具はプラスチックか？　これが鉄で出来てるなら、須藤の体格でも厳しそうに見えるぞ」

「……綾小路、お前ゲームに現実的な要素を求めるなよ。外国人かよ。大体そんなこと言う奴に限って、自動ライフ回復には寛容だったりすんだぜ？　銃弾浴びまくって、隠れて即効で体力が回復する洋ゲーだって非現実的だっての」

オレには山内が何を言っているのかさっぱり理解できなかった。

「百聞は一見にしかずって言うだろ？　買って一緒に遊んでみようぜ。な？　な？　デビューの時は、素材集めで協力してやるから。はちみつ集めるのも苦労するんだぞ？　って

ことでココア奢ってくれ～」

「ったく……」

はちみつは別にいらないけど、これ以上絡まれても面倒なのでココアを買ってやる。

「持つべきは友だよな！　さんきゅー！」

そんなところで友情を感じて欲しくない。放り投げると、腹でキャッチする山内。

さて、オレは何を飲むかな。迷いながら指を滑らせていると、ふと気づく。

「ここにもあるんだな」

ミネラルウォーターのところだけは無料で押せるボタンがあった。

「どうした？」

「あ、いや。確か食堂にも無料で食べられる定食があるよな？」

「山菜定食とかいう奴だろ？　あーやだやだ、草食ったり水飲む生活とか送りたくねー」

山内がココアを飲みながら、ケラケラ笑う。

ポイントが尽きれば、山菜定食や水のような無料のもので過ごすしかなくなる。

だが、ちょっと気を付ければ避けられる事態だ。山内のように見境なく使えば別だが。

「……なあ、結構いるよな。山菜定食食ってる人」

学食を度々利用していて、無料の山菜定食を食べている生徒が多かったのを思い出す。

「好きなんじゃねーの？　それか、月末だからだろ」

「そうだといいんだけどな」

オレは一抹の不安を覚えながらも、牛乳を飲もうとボタンを押した。当たり前のように
それは受け取り口に転がり落ちる。

「あー早く来月になって、また夢のような生活送りてー!」

山内たちは笑い続けながら叫んだ。

3

『今日、櫛田ちゃんたちと遊びに行くんだけど、お前も行く?』

午後の授業中、何も考えず黒板の文字を書き写していると携帯にメールが届いた。

おぉ……これが学生ライフ、青春と言う奴だろうか。初めて放課後に友達から遊びの誘
いが来た。特に断る理由は浮かばなかったが、一応参加者を聞いてみる。

知らない顔ぶれがいっぱいいたら嫌じゃん? なんか、気まずいし。

すぐにメールが返って来る。池と山内の名前と、櫛田。それにオレを含め四人。特に変
わった人物は居ない。これなら大丈夫だろう。承諾の返事を返すと、またメールが届く。

『櫛田ちゃんは俺が攻略するから、絶対に邪魔すんなよ! by池様』

『いやいや、櫛田ちゃんは俺が狙ってんだからな、お前こそ邪魔すんなよ。by山内』

『はあ？　お前ごときで櫛田ちゃん攻略とか、喧嘩売ってんのか？』

仲良くしていればいいのに、メールで櫛田の取り合いを始める二人。

オレの方も放課後が楽しみやら、ちょっと面倒臭くなってきたやら。

授業が終わると、オレは池と山内にくっついて学校の外へ。

敷地内はとにかく広く、入学してから暫くたった今も、まだオレは殆ど知らない。

「同じクラスなのに櫛田は一緒じゃなかったんだな」

「別のクラスの友達に、少し話があるとか言ってたな。櫛田ちゃん人気者だから」

「もしかして……お、男友達じゃないよな？」

「安心しろ池、確認済みだ。女の子だよ」

「よしよしっ」

「お前ら本気で櫛田狙ってるのか？」

「当たり前だろ。正直ド本命だし」

山内も同意見なのか、何度も繰り返し頷いて見せる。

「お前はあの堀北だもんな。ま、美人なのは認めるけどさ」

「いや、何もないから。マジで」

「ほんとかよ。授業中こっそり目と目を合わせたり、さり気なく指先が触れ合ったり、そんな甘酸っぱいムカつくイベントこなしてんじゃないだろうな？」

ぐいぐいと池に詰め寄られていると、こちらに話の中心である女子生徒が走って来る。

「遅くなってごめんね。お待たせせっ！」

「うおお、待ってたぜ櫛田ちゃん！　って、何で平田たちが居るんだよ⁉」

飛び跳ねた池は、次の瞬間には後ずさり、大げさにすっ転ぶ。忙しい奴だ。

「あ、途中で一緒になってさ。折角だから誘ってみたの。ダメだった？」

櫛田は平田と、その彼女（と思われる）の軽井沢、それから二人の女子を連れて来た。いつも軽井沢とつるんでいる松下、森という女生徒だった。

「おい、何とかして平田を追い返す方法ないかっ⁉」

池がオレの首に腕を回し、そう耳打ちしてきた。

「別に追い返す必要はないだろ」

「あんなイケメンがいたら、俺の存在が薄くなるだろ！　もし櫛田ちゃんが平田を好きになるアンラッキーイベントが発生したらどうすんだよ！　イケメンと可愛い子がくっつかない方法は、イベントを起こさせないことだけなんだぞ！」

「いや、知らんし……。それに平田は軽井沢と付き合ってるんだろ？　心配ないって」

「お前な、彼女が居るから大丈夫なんて、何の保証もないっつの。軽井沢みたいな中古汚ギャルとプリティー天使の櫛田ちゃんと比べたら、誰だって櫛田ちゃん選ぶだろっっ！」

唾が耳の中に飛んでくる勢いで熱弁を繰り返され、ちょっと気持ち悪い。というか本人の傍でよくまぁそこまでゲスイ言葉が出てくるもんだ。

軽井沢は確かに、ギャル系で肌も焼けてるけど、十分可愛い。

「でもよ池……あんな可愛い櫛田ちゃんが、処女って保証はないよな……？」

不安そうな、消え入りそうな声で山内(やまうち)が耳打ちに参加してきた。

「う、それは……その、そうだけど……い、いや、櫛田ちゃんが中古なわけないっ！」

女性蔑視というか、好き勝手な男の妄想が続いている。出来ればオレ抜きのところで話し合って貰(もら)えないだろうか。

「あの、もし僕たちがお邪魔なら別行動するよ？」

平田が遠慮がちに池たちに声をかける。オレたちのコソコソ話が気になったようだ。

「べ、別にいいんじゃね？　なあ山内っ？」

「お、おう。一緒に遊ぼうぜ。賑(にぎ)やかな方が楽しいし。な、池っ？」

二人としては、邪魔だ！と追い出したいところだろうが、安易にそんなことをすれば櫛田の好感度が下がりかねない。下がるだけの好感度があるかどうかは別として。

「つーか、当たり前しょ？　なんであたしらがこの三人の顔色窺(うかが)わなきゃいけないわけ？」

軽井沢の意見はもっともだが、オレも数に入れられていたのはショックだ。

「ここはアレだな。モノは考えようだ。平田と軽井沢を除けば、男女比は同じ。つまり合コンとか、トリプルデートみたいなもんだろ？　綾小路(あやのこうじ)、お前もチャンスだぜ？」

「山内は松下でいいんじゃね？　俺は櫛田ちゃんと話すから」

「おま、ふざけんなよ。櫛田ちゃんは俺が前から狙ってんだからな！　昔大きな桜の木の下で結婚しようねって誓い合った幼馴染に似てるんだよ！　運命の再会なんだよ！」

「嘘つけ！　前々から思ってたけど、お前嘘ばっかり言うよな！」

「は？　全部本当のことだっての！」

　山内春樹という人間を言葉通り信じるなら、幼い頃はゲームの腕前が抜群で、海外のプロにスカウトされたこともあり、小学校の時は卓球で全国、中学では野球でエースと、将来は間違いなくプロになると予言された、とてつもないハイスペックな男になる。

　実際のところどれも本当だと言う確証は出ていないが。

　グループがどこに向かうのかは知らないが、オレはやや後方からひっそりついていく。

　池と山内は櫛田に夢中かと思いきや、平田を両サイドから取り囲んでいた。

「ぶっちゃけ聞くけどさ、平田。お前、軽井沢と付き合ってんだよな？」

　池は平田が敵かどうか確認するため、単刀直入にそう聞いた。

「え……。それ、どこで聞いた話？」

　さすがに少し驚いたのか、慌てた様子を見せる平田。

「ほら、やっぱりバレてたみたいよ？　あたしらが付き合ってること」

　聞かれた平田が肯定、否定をする前に、軽井沢は平田の腕を取ってぎゅっと挟み込んだ。

平田は参ったな、という様子で頬を人差し指で掻きながら、付き合っている事実を認める。

「マジかよー！　軽井沢みたいな可愛い子と付き合えて超羨ましいぜ」

心にもないことを山内は心底羨ましそうに言った。嘘を嘘と思わせず口にするのは、簡単なようで意外と難しい。

「櫛田ちゃんは、彼氏とかいんの？」

この流れで、池は迷わず櫛田シフトに切り替えた。これは上手い、のか？

「私？　私は残念ながらいないなぁ」

池、山内が心の中でこっそり歓喜！　どころか、二人とも顔がニヤけていた。歓喜が漏れてる漏れてる。彼氏が居ることを内緒にしているという線もあるが、概ね櫛田がフリーなのは決まった。オレも少し嬉しい。

「やべ、涙がっ……！」

「泣くな山内！　俺たちは今、やっと頂きの目の前に立っただけなんだっ！」

その山は果てしなく高く途方もなく険しい道のりになるだろうな……。

平田は軽井沢と、池と山内は櫛田を露骨に取り囲んで歩き出す。面白くないのは松下と森の二人だろう。その後ろをついてきている。オレは更に後ろを一人で歩いているわけだが。

「なぁ池、どこに行くんだ？」

目的地を聞こうと声をかける。池は鬱陶しそうに振り返って不愛想に答えた。

「俺たち、まだ入学してそんなに経ってないだろ？　敷地内の施設を見て回るんだよ」

明確な目的地が無い。つまりこのちょっと気まずい感じがしばらく続くのか……。

そんな嫌な予想は、思わぬ形で裏切られることになった。

「ねえねえ松下さん、森さん。二人はどこか見に行ったりしたの？」

池と山内、二人と楽しく談笑しながらも、櫛田は後ろの女子2人に話を振った。

「え？　あ、えーっと、どうかな。映画館には一回行ったかな。ね？」

「うん。学校が終わってから二人で」

「そうなんだ！　私も行きたいなって思ってたんだけど、まだなんだよね。軽井沢さんたちはデートで何か特別な場所には行ったの？」

櫛田は3つのグループを繋ぐため行動を始めた。流石だな。オレには逆立ちしても真似できない行為だ。おまけに、時折オレにまで、にっこりとほほ笑む。これも有りがたい。無駄に話題を振られると、それはそれで面倒だと感じている。そんなオレの性格や考え方も配慮しつつ、けして無視しているわけじゃないと目で伝えてくる。もし櫛田が空気の読めない、ただ中心に居たいだけの人間だったらこうはいかないだろう。

例えば、歌わないことを条件に友達と同行したはずのカラオケで、「歌ってよ」と言われ、あまつさえ断ったら「何こいつ空気読めねーの？」と逆ギレする人間がいる。

結局自己中な人間は、カラオケで歌うのは楽しい＝全員好きなはず、という短絡的で愚かな思考をしている。世の中には歌うことが心底嫌いな奴もいることを理解していない。

と、オレが一人心の中で毒づいていると、周囲は随分と喧騒に包まれていた。

どうやら敷地内にある洋服店……洒落て言うならブティックで足を止めたようだ。

皆は何度か既に来ているらしく、迷わず店内へ向かう。大体平日は制服だし、休日は家の中に籠りきりだから、私服なんて買ってなかったな。

店内は多くの生徒で賑わっていたが、上級生はほとんどおらず、その多くは1年生のようだった。独特の初々しさと言うか、まだ不慣れな感じが雰囲気に出ている。

それからオレたちは程ほどに洋服をチェックした後、近場のカフェへと足を運んだ。

平田の手には、軽井沢が購入した洋服の袋。3万くらい使ってたな。

「皆はもう学校には慣れた？」

「最初は戸惑ったけど、もうばっちりだぜ。つか、夢の国過ぎて、一生卒業したくねー」

「あはは、池くんは学校生活を満喫してるって感じだね」

「あたしとしては、もっとポイントが欲しいって感じ？　20万……30万ポイントくらい？化粧品とか洋服とか買ってたら、もう殆どポイント残らないっつーの」

「高校生で毎月30万も小遣い貰ったら異常じゃね？」

「それ言うなら、10万でも相当だと思うけど。僕は少し怖いよ。このままの生活を続けてたら、卒業した時困るんじゃないかって」

「金銭感覚が狂うってこと？　それは、確かに怖いかもね」

支給された10万というポイントは、受け取った生徒によって感じ方はまるで違うようだった。軽井沢や池はもっと欲しいと感じ、平田や櫛田は多すぎて贅沢な生活が終わった後々が怖いと思っている。

「綾小路くんはどう？　10万ポイントって多いと思う？　少ないと思う？」

話に入らず、聞き専だったオレに話題を振ってくれる櫛田。

「どうかな……。まだ実感がないっていうか。良くわからない」

「なんだよそれ」

「僕は何となく、綾小路くんの言うことも分かるよ。ここは正直、普通の学校とはかけ離れ過ぎてるから。どこか足が宙に浮いた感じが抜けきれないんだ」

「んなの、気にするだけ無駄だって。いやぁ、マジ入学できて良かったわ。俺は欲しいものはガンガン買ってくぜ。実際昨日もついつい、新しい服買っちっちたし」

ほんと、池は前向きと言うかポジティブに生きてるようだ。

「そういや櫛田ちゃんや平田はともかく、池や軽井沢はよく入学できたよな。お前らって絶対頭悪いだろ？」

「お前も頭良さそうには見えないぞ山内」

「は？　俺は昔ＡＰＥＣで９００点取ったことあるっての」

「何だよ、ＡＰＥＣって」

「そんなことも知らねーのかよ。すげぇ難しいテストのことだよ。英語の」

「えと、それはＡＰＥＣじゃなくて多分ＴＯＥＩＣだよ？」

櫛田の優しいツッコミが入る。ちなみに、ＡＰＥＣはアジア太平洋経済協力のことだ。

「し、親戚みたいなもんだろ？」

親類縁者からほど遠い位置関係にあると思うぞ……。

「この学校の方針は、未来ある若者を育成するためだって話だから、学校側は僕たちのことをテストの点数だけで決めてるわけじゃないんじゃないかな？　事実、偏差値だけで判断される学校だったら、受験していなかったかも」

「それそれ。未来ある若者って奴。まさに俺にぴったりの言葉だぜ」

池は腕を組んで、うんうんと頷いた。

日本屈指の進学、就職率を誇る高校にもかかわらず、合否の基準は点数だけじゃない。なら、一体この学校は、その人間の何に可能性を見ているのだろう。

ふとそんなことを疑問に思った。

○ようこそ、実力至上主義の世界へ

5月最初の学校開始を告げる始業チャイムが鳴った。程なくして、手にポスターの筒を持った茶柱先生がやって来る。その顔はいつもよりも険しい。生理でも止まったんですか？　なんてジョークをかましたら、鉄バットで顔面をフルスイングされそうだ。

「せんせー、ひょっとして生理でも止まりましたー？」

池がまさかの発言を繰り出す。つか、オレと池の思考が一緒だったことにショックだ。

「これより朝のホームルームを始める。が、その前に何か質問はあるか？　気になることがあるなら今聞いておいた方がいいぞ？」

茶柱先生は池のセクハラに一切構わず、そんなことを言った。生徒たちからの質問があることを確信しているかのような口ぶりだ。実際、数人の生徒がすぐさま挙手した。

「あの、今朝確認したらポイントが振り込まれてないんですけど、毎月1日に支給されるんじゃなかったんですか？　今朝ジュース買えなくて焦りましたよ」

「本堂、前に説明しただろ、その通りだ。ポイントは毎月1日に振り込まれる。今月も問題なく振り込まれたことは確認されている」

「え、でも……。振り込まれてなかったよな？」

　本堂や山内たちは顔を見合わせた。池は気づいていなかったらしく驚いていた。確かに今朝、ポイントを確認しようと思ってチェックしたら、昨日までと全く同じ、つまり新しいポイントは振り込まれていなかった。てっきり後で振り込まれるものだと思っていたが。

「……お前らは本当に愚かな生徒たちだな」

　怒り？　あるいは悦びか？　不気味な気配をまとった茶柱先生。

「愚か？　っすか？」

　間抜けに聞き返す本堂に、茶柱先生は鋭い眼光を向ける。

「座れ、本堂。二度は言わん」

「さ、佐枝ちゃん先生？」

　聞いたことがない厳しい口調に本堂は腰が引け、そのままズルっと椅子に収まった。

「ポイントは振り込まれた。これは間違いない。このクラスだけ忘れられた、などという幻想、可能性もない。わかったか？」

「いや、分かったかって言われても、なあ？　実際に振り込まれてないわけだし……」

　本堂は戸惑いながらも、不満げな様子を見せる。

　もし、茶柱先生の言うように振り込まれたのが事実だとしたら……。

　それが矛盾ではないとしたら？　振り込まれた結果が、０ポイントなんだとしたら？

　そんな疑問が微かに、だが確実に膨れ上がっていく。

「ははは、なるほど、そういうことだねティーチャー。理解出来たよ、この謎解きがね」

高円寺が声高らかに、笑った。そして足を机に乗せ、偉そうな態度で本堂を指さした。

「簡単なことさ、私たちDクラスには1ポイントも支給されなかった、ということだよ」

「はあ？　なんでだよ。毎月10万ポイント振り込まれるって……」

「私はそう聞いた覚えはないね。そうだろう？」

ニヤニヤと笑いながら、高円寺は茶柱先生にもその堂々とした指先を向けた。

「態度には問題ありだが、高円寺の言う通りだ。全く、これだけヒントをやって自分で気がついたのが数人とはな。嘆かわしいことだ」

教室の中は、突然の出来事、報告に騒然としだした。

「……先生、質問いいですか？　腑に落ちないことがあります」

平田が手を上げる。自分のポイントを守るため、ではなく不安に包まれるクラスメイトを心配しての挙手に見えた。流石はクラスのリーダー。こんな時も率先して行動する。

「振り込まれなかった理由を教えてください。でなければ僕たちは納得出来ません」

確かに、何故ポイントが振り込まれなかったのか、その詳細が一切不明だ。

「遅刻欠席、合わせて98回。授業中の私語や携帯を触った回数３９１回。ひと月で随分とやらかしたもんだ。この学校では、クラスの成績がポイントに反映される。その結果お前たちは振り込まれるはずだった10万ポイント全てを吐き出した。それだけのことだ。

入学式の日に直接説明したはずだ。この学校は実力で生徒を測ると。そして今回、お前たちは0という評価を受けた。それだけに過ぎない」

茶柱先生は呆れながらも感情の無い機械的な言葉を発する。この学校に来てからの疑問がありがたいことに次々解決していく。最悪の形で、ではあるが。

つまり、スタートダッシュで貰った10万という巨額のアドバンテージを、オレたちDクラスはひと月で失ってしまったということだ。

カリカリと鉛筆の動く音が聞こえる。堀北が冷静に事態の掌握を計ろうとしているようで、遅刻欠席の回数や、私語の回数をメモしているようだった。

「茶柱先生。僕らはそんな話、説明を受けた覚えはありません……」

「なんだ。お前らは説明されなければ理解出来ないのか」

「当たり前です。振り込まれるポイントが減るなんて話は聞かされてなんていませんでした。説明さえして貰えていたら、皆遅刻や私語なんかしなかったはずです」

「それは不思議な話だな平田。確かに私は振り込まれるポイントがどのようなルールで決められているかを説明した覚えはない。しかし、お前らは学校に遅刻するな、授業中に私語をするなと、小学校、中学校で教わってこなかったのか？」

「それは……」

「身に覚えがあるだろう。そう、義務教育の9年間、嫌と言うほど聞かされてきたはずだ。

遅刻や私語は悪だと。そのお前らが、言うにことかいて説明されてなかったから納得できない？　通らないな、その理屈は。当たり前のことを当たり前にこなしていたなら、少なくともポイントが0になることはなかった。全部お前らの自己責任だ」

反論のしようなどない、絶対的な正論だった。誰もが知っている、一番簡単な善悪。

「高校一年に上がったばかりのお前らが、何の制約もなく毎月10万も使わせてもらえると本気で思っていたのか？　日本政府が作った優秀な人材教育を目的とするこの学校で？　ありえないだろ、常識で考えて。なぜ疑問を疑問のまま放置しておく？」

その正論に平田は悔しそうな姿を見せるが、すぐに先生の目を見た。

「では、せめてポイント増減の詳細を教えて下さい……。今後の参考にします」

「それはできない相談だな。人事考課、つまり詳細な査定の内容は、この学校の決まりで教えられないことになっている。社会も同じだ。お前が社会に出て、企業に入ったとして詳しい人事の査定内容を教えるか否かは、企業が決めることだ。しかし、そうだな……。私も憎くてお前たちに冷たく接しているわけじゃない。あまりに悲惨な状況だ、一つだけいい事を教えてやろう」

今日初めて、薄い笑みを見せた茶柱先生。

「遅刻や私語を改め……仮に今月マイナスを0に抑えたとしても、ポイントは減らないが増えることはない。つまり来月も振り込まれるポイントは0ということだ。裏を返せば、どれだけ遅刻や欠席をしても関係ない、という話。どうだ、覚えておいて損はないぞ?」

「っ……」

平田の表情がより一層暗くなる。一部の生徒は意味を理解できなかったようだが、そんな説明はほぼ逆効果だ。遅刻や私語を改めようという生徒の意識が削がれる。それが、茶柱先生の、いや、学校の狙いなのか。

話の途中だがチャイムが鳴り、ホームルームの時間が終わりを告げる。

「どうやら無駄話が過ぎたようだ。大体理解出来ただろ。そろそろ本題に移ろう」

手にしていた筒から白い厚手の紙を取り出し、広げた。それを黒板に貼りつけ、磁石で止める。生徒たちは理解も及ばないまま、戸惑いながら茫然とその紙を眺める。

「これは……各クラスの成績、ということ?」

半信半疑ながらも、堀北はそう解釈した。多分合っている。

そこにはAクラスからDクラスの名前とその横に、最大4桁の数字が表示されていた。オレたちDクラスは0。Cクラスが490。Bクラスが650。そして一番高い数字がAクラスの940。これがポイントのことだとすると、1000ポイントが10万円に値する、というところか。全てのクラスが軒並み数値を下げている。

「ねえ、おかしいと思わない?」

「ああ……ちょっと綺麗すぎるよな」

オレと堀北は貼り出された点数のある奇妙な点に気づいた。

「お前たちはこの1か月、学校で好き勝手な生活をしてきた。学校側はそれを否定するつもりはない。遅刻も私語も、全て最後は自分たちにツケが回って来るだけのこと。ポイントの使用に関してもそうだ。得たものをどう使おうとそれは所有者の自由。その点に関しても制限をかけていなかっただろう」

「こんなのあんまりっすよ！　これじゃ生活できませんって！」

今まで黙って聞いていた池が、叫んだ。

山内に至っては阿鼻叫喚をきわめている。あいつ、もう残りポイント0だったしな……。

「よく見ろバカ共。Dクラス以外は、全クラスがポイントを振り込まれている。それも一か月生活するには十分すぎるほどのポイントがな」

「な、なんで他のクラスはポイントが残ってんだよ。おかしいよな……」

「言っておくが不正は一切していない。この一か月、全てのクラスが同じルールで採点されている。にもかかわらず、ポイントでこれだけの差がついた。それが現実だ」

「何故……ここまでクラスのポイントに差があるんですか」

平田も貼り出された紙の謎に気が付いた。あまりに綺麗にポイント差が開いている。

「段々理解してきたか？　お前たちが、何故Dクラスに選ばれたのか」

「俺たちがDクラスに選ばれた理由？　そんなの適当なんじゃねえの？」

「え？　普通、クラス分けってそんなもんだよね？」

各々、生徒たちは友人と顔を見合わせている。

「この学校では、優秀な生徒たちの順にクラス分けされるようになっている。最も優秀な生徒はAクラスへ。ダメな生徒はDクラスへ、と。ま、大手集団塾でもよくある制度だな。つまりここDクラスは落ちこぼれが集まる最後の砦というわけだ。つまりお前たちは、最悪の不良品ということだ。実に不良品らしい結果だな」

堀北の表情が大きく強張った。クラス分けの理由がショックだったためだろう。

確かに優秀な人材は優秀な箱に、ダメな人材はダメな箱に詰めた方がいい。腐ったミカンが、良いミカンを腐らせることは間々あることだ。優秀な堀北が反感を抱くのは必然。

でもオレはこれで良かったのかもな。これ以上下がることはないわけだし。

「しかし1か月ですべてのポイントを吐き出したのは過去のDクラスでもお前たちが初めてだ。よくここまで盛大にやったもんだと、逆に感心した。立派立派」

茶柱先生のわざとらしい拍手が教室に響く。

「このポイントが0である限り、僕たちはずっと0のままということですね？」

「ああ。このポイントは卒業までずっと継続する。だが安心しろ、寮の部屋はタダで使用できるし、食事にも無料のモノがある。死にはしない」

必要最低限の生活は出来るかも知れないが、多くの生徒にとっては慰めにもならない。

この一か月生徒たちは贅沢三昧の生活を送ってきた。急にそれを我慢しろと言うのは相当大変なことだ。

「……これから俺たちは他の連中にバカにされるってことか」

ガン、と机の脚を蹴ったのは須藤。クラス順に優劣が決まるのなら、当然一番下のDクラスがバカの集まりだと公言していることになる。卑下するのも無理はない。

「何だ、お前にも気にする体面があったんだな、須藤。だったら頑張って上のクラスに上がれるようにするんだな」

「あ？」

「クラスのポイントは何も毎月振り込まれる金と連動しているだけじゃない。このポイントの数値がそのままクラスのランクに反映されるということだ」

つまり……仮にオレたちが５００ポイントを保有していたら、ＤクラスからＣクラスに昇級していた、ということか。本当に企業の査定のようだ。

「さて、もう一つお前たちに伝えなければならない残念な知らせがある」

黒板に、追加するように貼り出された一枚の紙。そこにはクラスメイト全員の名前が、ずらりと並んでいる。そして各名前の横には、またしても数字が記載されていた。

「この数字が何か、バカが多いこのクラスの生徒でも理解出来るだろう」

カツカツとヒールで床を踏み鳴らし、生徒たちを一瞥する。

「先日やった小テストの結果だ。揃いも揃って粒ぞろいで、先生は嬉しいぞ。中学で一体何を勉強してきたんだ？　お前らは」

一部の上位を除き、殆どの生徒は60点前後の点数しか取れていない。須藤の14点という驚異的なものは無視するとして、その次が池の24点だ。平均点は65点前後か。

「良かったな、これが本番だったら7人は入学早々退学になっていたところだ」

「た、退学？　どういうことですか？」

「なんだ、説明していなかったか？　この学校では中間テスト、期末テストで1科目でも赤点を取ったら退学になることが決まっている。今回のテストで言えば、32点未満の生徒は全員対象と言うことになる。本当に愚かだな、お前たちは」

「は、はあああああ⁉」

真っ先に驚愕の声をあげたのは、その７人に該当する池たち。

貼り出された紙には、７人で一番点数の高い菊地の31点、その上に赤いラインが引かれていた。つまり菊地含め、それ以下の生徒は赤点ということだ。

「ふっざけんなよ佐枝ちゃん先生！　退学とか冗談じゃねえよ！」

「私に言われても困る。学校のルールだ、腹をくくれ」

「ティーチャーが言うように、このクラスには愚か者が多いようだねぇ」

爪を研ぎながら、足を机の上に乗せたままの高円寺が偉そうに微笑む。

「何だと高円寺！　どうせお前だって赤点組だろ！」

「フッ。どこに目が付いているのかねボーイ。よく見たまえ」

「あ、あれ？　ねえぞ、高円寺の名前が……あれ？」

下位から順に、上位へと向かう視線。そして──たどり着いた、高円寺六助の名前。

それは信じられないことに、上位も上位、同率首位の一人に名を連ねていた。その点数は90点。恐ろしく難度の高い問題を1つは解いていたということだ。

「絶対須藤とおんなじバカキャラだと思ってたのに……！」

そんな驚嘆と嫌味の入り混じった声が池以外からも聞こえた。

「それからもう一つ付け加えておこう。国の管理下にあるこの学校は高い進学率と就職率を誇っている。それは周知の事実だ。恐らくこのクラスの殆どの者も、目標とする進学先、就職先を持っていることだろう」

それは当然のことだろう。この学校は全国でも屈指の進学、就職率。ここさえ卒業出来れば、通常では難しいとされる希望先にもすんなりと入れると噂されていた。日本最高峰のレベルを誇る東京大学ですら推薦で入れるらしいというまことしやかな噂があるほどだ。

「が……世の中そんな上手い話はない。お前らのような低レベルな人間がどこにでも進学、就職できるほど世の中は甘くできているわけがないだろう」

茶柱先生の言葉が教室に響き渡る。

「つまり希望の就職、進学先が叶う恩恵を受けるためには、Cクラス以上に上がる必要がある……と言うことですね？」

「それも違うな平田。この学校に将来の望みを叶えて貰いたければ、Aクラスに上がるしか方法は無い。それ以外の生徒には、この学校は何一つ保証することはないだろう」

「そ、そんな……聞いてないですよそんな話！　滅茶苦茶だ！」

立ち上がったのは、幸村と言うメガネをかけた生徒だった。テストでは高円寺に並ぶ同率首位で、学力的には文句のつけようはない成績だ。

「みっともないねぇ。男が慌てふためく姿ほど惨めなモノは無い」

そんな幸村の声を耳障りとでも言わんばかりに、高円寺はため息をついて漏らした。

「……Dクラスだったことに不服はないのかよ。高円寺」

「不服？　何故不服に思う必要があるのか、私には理解できないねぇ」

「俺たちは学校側から、レベルの低い落ちこぼれだと認定されて、その上進学や就職の保証もないって言われたんだぞ、当たり前だ！」

「ふっ。実にナンセンス。これこそ愚の骨頂と言わざるを得ない」

爪を研ぐ手を止めない高円寺。それどころか幸村に目を向けることすらしなかった。

「学校側は、私のポテンシャルを計れなかっただけのこと。私は誰よりも自分のことを評価し、尊敬し、尊重し、偉大なる人間だと自負している。学校側が勝手にD判定を下そうとも、私にとっては何の意味もなさないと言うことだよ。仮に退学にすると言うのなら、勝手にするがいい。後で泣きついて来るのは、100％学校側なのだからね」

流石は高円寺といったところか。男らしいと言うか唯我独尊と言うか。確かに学校側がAだのDだのと判定しているだけで、気にしなければ別にどうってことはない。頭脳や身体能力の高さから考慮するに、Aクラスの生徒全員が高円寺より上とも考えにくい。恐らくそれ以外の、この変わった性格のためDクラスに配属されたのだろう。

「それに私は学校側に進学、就職を世話してもらおうなどとは微塵も思っていないのでね。高円寺コンツェルンの跡を継ぐことは決まっている。DでもAでも些細なことなのだよ」

将来を約束されている男にとっては、確かにAクラスである必要性は皆無だ。

幸村も反撃の言葉を失い、そのまま腰を下ろすしかなかった。

「浮かれていた気分は払しょくされたようだな。お前らの置かれた状況の過酷さを理解できたのなら、この長ったるいHRにも意味はあったかもな。中間テストまでは後3週間、まぁじっくりと熟考し、退学を回避してくれ。お前らが赤点を取らずに乗り切れる方法はあると確信している。出来ることなら、実力者に相応しい振る舞いをもって挑んでくれ」

ちょっと強めに扉を閉めると、茶柱先生は今度こそ教室を後にした。

がっくりとうな垂れる赤点組たち。いつも堂々としている須藤も、舌打ちをして俯いた。

1

「ポイントが入らないって、これからどうするんだよ」

「私昨日、残りのポイント全部使っちゃったよぉ……」

茶柱先生が居なくなってからの休み時間、教室の中は騒然、いや、酷く荒れていた。

「ポイントよりもクラスの問題だ……ふざけんなよ。なんで俺がDクラスなんだよ……！」

幸村が憤怒したように声を荒げた。その額には汗も薄らと浮かんでいる。

「って言うか、そもそも私たち好きなところに進学できないわけ？　じゃあ、何のためにこの学校に入ったの？　佐枝ちゃん先生、私たちのこと、嫌いなのかな……？」

他の生徒たちも、一様に混乱の色を隠せない。

「混乱する気持ちは分かるけど、いったん落ち着こう」

教室の不穏な流れに危機感を覚えた平田が、周りを制そうと立ち上がる。

「落ち着くってなんだよ。お前も悔しくないのかよ、落ちこぼれだって言われて！」

「今はそう言われても、力を合わせて見返してやればいいじゃないか」

「見返す？　そもそもこっちはクラス分けの時点で納得いってねーんだよ！」

「気持ちは十分分かるよ。でも、今ここで愚痴を吐いたって始まらないだろう？」

「なんだと？」

幸村は距離を詰め、今にも平田の胸倉を掴みそうな勢いだ。

「落ち着いてよ二人とも。ね？　きっと先生は私たちを奮い立たせるために厳しく言ったんじゃないかな？」

櫛田だった。対峙する二人の間に入ると、幸村の強く握られた拳に、そっと優しく手を添える。幸村もさすがに櫛田を怪我させるわけにもいかず、思わず半歩後ろに下がった。

「それにさ、まだ入学して1か月だよ？　平田くんの言うようにこれからみんなで頑張ればいいじゃない。私、間違ってること言ってるかな？」

「い、いや、それは……。確かに、櫛田の言うことも間違いではないが……」

幸村の怒りは、既に半分近く雲散していた。櫛田の目は本気でDクラスの皆が協力し合えば、何とかなると訴えかけてきていた。

「そ、そうだよな。焦ること、ないよな？　幸村も平田も喧嘩する必要ないって」

「……悪い。ちょっと冷静じゃなかった」

「いいんだ。僕の方こそもう少し言葉を選ぶべきだったよ」

櫛田桔梗の存在が、このおざなりなカンファレンスにまとまりを持たせた。

オレは携帯を引っ張り出し、黒板に張り出されたままの紙、そこに書かれたポイントを打ち込む。その姿を見ていた堀北が不思議そうに覗き込んできた。

「何をしているの？」

「どうにかしてポイントの詳細を割り出せないかと思ってさ。お前も色々メモってたろ」

遅刻が、雑談が何ポイントマイナス、とかが分かれば対策も立てやすくなる。

「現段階で詳細を割り出すのは難しいんじゃない？　それに、あなたがそれを調べたところで解決する問題とは思えない。このクラスは単純に遅刻や私語をし過ぎたのよ」

堀北(ほりきた)の言うように、今手持ちの情報だけじゃ判断は難しい。そしてさすがの堀北も焦りを感じているのか、いつものような冷静な態度にどこか欠けている気がした。

「お前も進学組か？」

「……どうしてそんなことを？」

「いや、AとDの差を聞いた時、ショックそうだったからな」

「そんなの、大なり小なり、このクラスにいる誰だってそうでしょう？　入学する前に説明があったならともかく、この段階で言われても納得なんて出来ない」

ま、そうだな。恐らくDクラスだけじゃなく、CやBクラスの生徒からも不平不満が出ているに違いない。学校からすれば、A以外は落ちこぼれ扱(あつか)いだ。それでも頑張れば上に手が届きそうなだけマシかも知れないが。

「オレとしちゃ、AだのDだの言う前に、ポイントの確保をしたいところだな」

「ポイントなんて副産物でしかないわ。無くても生活に支障は出ない。事実学校には随所に無料で利用できるものがあるでしょう？」

　今思えば、それはオレたちのようなポイントを失った者たちへの救済措置なんだろう。

「生活に支障は出ないねえ……」

　確かに生きていくだけなら問題はない。けどポイントでしか賄えない部分も多々ある。その代表例が娯楽だろう。その娯楽の欠如が、後々仇にならなければいいんだが……。

「先月、綾小路くんは幾ら使ったの？」

「ん？　ああ、ポイントのことか。２万くらいかな、ざっくりとだけど」

　悲惨なのはポイントを使い切ってしまった生徒たちだろう。さっきから机の上で喚き散らしている山内とか。池も殆どポイントを吐き出しているはずだ。

「気の毒だと思う反面、自業自得ともいうわね」

　確かに、計画性なく1月で10万使い切るのには少々問題がある。

「オレたちは一か月間、まんまと甘いエサにつられてたってことだな」

　毎月10万。そんなに甘いわけがないと思いつつも、つい浮かれていた。

「皆、授業が始まる前に少し真剣に聞いて欲しい。特に須藤くん」

　まだ騒然とする教室で、平田は教壇に立ち生徒の注目を集めた。

「チッ、なんなんだよ」

「今月、僕たちはポイントを貰えなかった。これは、今後の学校生活において非常に大きく付きまとう問題だ。まさか卒業まで0ポイントで過ごすわけにもいかないだろう？」

「そんなの絶対嫌！」

一人の女子生徒が悲鳴にも似た叫びをあげる。平田は優しく頷いて同調する。

「もちろんだよ。だからこそ、来月は必ずポイントを獲得しなければならない。そしてそのためにはクラス全体で協力しなきゃならない。遅刻や授業中の私語はやめるよう互いに注意するんだ。もちろん、携帯を触るのも禁止だね」

「は？　なんでそんなことお前に指示されなきゃならねえんだ。ポイントが増えるならともかく、変わらないなら意味ないだろ」

「でも、遅刻や私語を続ける限り僕たちのポイントは増えない。0から下がらないだけで、マイナス要素であることには間違いないんだから」

「納得いかねーな。真面目に授業受けてもポイントが増えないなんてよ」

須藤は鼻を鳴らし、不満げに腕を組んだ。そんな様子を見ていた櫛田が、発言する。

「学校側からすれば、遅刻や私語をしないのは当たり前の話ってことなのかな？」

「うん、櫛田さんの言う通りだと思う。出来て当たり前のことなんだよ」

「それはお前らの勝手な解釈だろ。それにポイントの増やし方がわからねーんじゃやるだけ無駄だろ。増やし方を見つけてから言えよ」

「僕は、何も須藤くんが憎くて言ってるわけじゃないんだ。不快にさせたなら謝りたい」

平田は不満を漏らす須藤にも丁寧に頭を下げた。

「だけど須藤くん、いや皆の協力がなければポイントを得ることが出来ないのは事実だ」

「……お前がなにやろうが勝手だけどよ。俺を巻き込むな。わかったな」

この場に居ることに居心地の悪さを感じたのか、それだけ言うと須藤は教室を出た。

授業が始まるまでか、それとももう戻って来ないつもりか。

「須藤くんほんっと空気読めないよね。遅刻だって一番多いしさ。須藤くんが居なかったら少しくらいポイント残ってたんじゃない？」

「だよね……もう最悪。なんであんなのと同じクラスに……」

うーむ、今朝まで幸せな生活を皆満喫していたはずなんだけどな。須藤に文句を言う奴もいなかったし。そんな中教壇を降りた平田が、珍しくオレたちの席の前までやって来た。

「堀北さん、それから綾小路くんも少しいいかな。放課後、ポイントを増やすためにどうしていくべきか話し合いたいんだ。是非君たちにも参加してもらいたい。どうかな？」

「どうしてオレたちなんだ？」

「全員に声をかけるつもりだよ。だけど一度に全員に声をかけても、きっと半数以上は話半分に聞いて真剣に耳を傾けてはくれないと思うんだ」

だから個別にお願いをしていくことを考えたのか。何か良案が出せるとは思えないが、参加くらいはしてもいいかな。そう思っていると――。

「ごめんなさい、他を当たって貰える？　話し合いは得意じゃないの」

「無理に発言しなくてもいいよ。思いつくことがあったらで構わないし、その場に居てくれるだけでも、十分だから」

「申し訳ないけれど、私は意味のないことに付き合うつもりはないから」

「これは、僕たちDクラスにとって、最初の試練だと思う。だから――」

「断ったはずよ。私は参加しない」

強く冷静な一言。平田の立場を斟酌しつつも堀北は再度拒絶を示した。

「そ、そうか。ごめん……もし気が変わったら、参加して欲しい」

残念そうに引き下がる平田を、もう堀北は見ていなかった。

「綾小路くんは、どうかな？」

正直参加しても良かった。クラスの大半は話し合いに参加するだろうし。

だが、そこに堀北だけが不在になったら須藤のように異物扱いを受ける可能性もある。

「あー……パスで。悪いな」

「……いや、僕こそ急にごめん。でも、気が変わったらいつでも言ってよ」

平田はオレの考えを理解したのかも知れない。強くは誘ってこなかった。

話し合いが終わるなり、次の授業のための準備を始める堀北。

「平田も偉いよな。ああやって行動を起こすんだから。落ち込んでもおかしくないのに」

「それは見方一つね。安易に話し合いを持って解決する問題なら苦労しないわ。頭の悪い生徒が束になって話し合いをしても、むしろ泥沼に嵌まって余計に混乱するだけよ。それに私には今の状況を素直に受け入れる事なんて出来ない」

「受け入れる事なんて出来ない？　それってどういう意味だ？」

堀北は俺の質問には答えず、それ以降黙り込んでしまった。

2

放課後。朝の告知通り平田は教壇に立ち、黒板を使って対策会議の準備を始めていた。

平田の求心力の凄さが窺える参加率で、堀北と須藤、数人の男女を除きほぼ満席だ。気が付けば不参加連中は教室には居なかった。本格的な話し合いが始まる前にオレも出よう。

「綾小路ぃ～～～～～」

机の下から、にゅっと顔を出してきたのは、今にも死にそうな顔をした山内だ。

「おうっ!?　な、なんだよ。どうした？」

「これ、２００００ポイントで買ってくれよ～。ポイントなくて何にも買えないんだよ～」

机に置かれたのは、先日山内が購入したばかりのゲーム機。ぶっちゃけ全く欲しくない。

「お前がそれをオレに売ったらオレは誰と遊べばいいんだよ」

「そんなの知るかよ。いいだろ？　破格だからお得だろ？」

「1000ポイントなら買ってやるよ」

「綾小路ぃ〰〰〰！　頼れるのはお前だけなんだよぉ～！」

「何でオレだけなんだよ……。無い袖は振れないぞ」

山内は潤んだ瞳でオレを見上げていたが、気持ちが悪いので目を逸らした。

オレからは施しを受けられないと判断したのか、すぐに別のターゲットを狙う。

「博士！　最大の友として頼みがある！　このゲーム機を22000で買ってくれ！」

今度は博士に売りつけるつもりらしい。しかも図々しいことに値上がりしている。

「大変そうだね、ポイントを使い切っちゃった人たち」

櫛田が、山内と博士のやり取りを見ながら声をかけて来た。

「櫛田の方こそ、ポイントは大丈夫なのか？　女の子は色々必要なものがあるだろ」

「うーん、まぁ、今のところは、かな。半分くらいは使っちゃった。この一か月自由に使い過ぎて来たから、ちょっと我慢するのは大変だね。綾小路くんは大丈夫？」

「交友関係が広いだけに、全く金を使わないって生活も難しいよな。……オレの方は殆ど使ってないかな。特に必要なものもなかったし」

「友達がいないからだったりして？」

「おい……」

「あはは、ごめんごめん。悪気は全然ないよ？」

クスクスと笑いながら両手を合わせて謝る櫛田。そんな姿も無駄に可愛い。

「あのさ櫛田さん、ちょっといいかな？」

「軽井沢さん、どうしたの？」

「実はあたしさ、ポイント使い過ぎちゃってマジで金欠なんだよね。今、クラスの女子からも少しずつポイント貸して貰ってるんだけど、櫛田さんにも助けて貰いたいって思って。あたしたち友達だよね？　ほんと、ひとり２０００ポイントだけでいいんだけど」

頼み込むような態度には見えなかったが、軽井沢はヘラヘラとした様子で櫛田にポイントを貸せと要求してきた。こんなもん、即断られて終了だ。

「うん、いいよっ」

いいのかよ！　心の中で突っ込んだが、友達同士の問題は当人たちで決めることだ。

櫛田は少しも嫌がることなく、軽井沢に援助することを決めたようだった。

「さんきゅ～。やっぱ持つべきものは友達だね。これあたしの番号。そんじゃ、よろしく～。あ、井の頭さん、実はあたしさ、ポイント使い過ぎちゃってさ～」

次のターゲットである生徒を見つけ、軽井沢は風のようにオレたちの前から去った。

「良かったのか？　あれは十中八九返って来ないぞ？」

「困ってる友達がいたら放っておけないし。軽井沢さんも交友関係が広いから、ポイントなしじゃ大変だと思うもん」

「それでも10万も使い切るのは、個人的に問題あると思うけどな」

「あ、でもポイントってどうやって渡せばいいのかな？」

「軽井沢(かるいざわ)から番号書いた紙貰(もら)っただろ？　携帯でそれ打ち込めば譲渡できるはずだ」

「学校側はちゃんと、生徒たちのことを配慮してるんだね。軽井沢さんみたいに困った人を助けられるようにこんなシステムまで用意してるんだから」

確かに、軽井沢にとっては渡りに船だ。でもわざわざ送金、譲渡できるようにしておく必要はあったのだろうか。むしろトラブルの火種にだってなり兼ねない。

『1年Dクラスの綾小路(あやのこうじ)くん。担任の茶柱(ちゃばしら)先生がお呼びです。職員室まで来てください』

穏やかな効果音の後、そんな無機質な案内が教室に響いた。

「先生からの呼び出しみたいだね」

「だな……悪い、櫛田(くしだ)。ちょっと行ってくる」

入学以来、特に注意を受けるようなことをした覚えは一つもない。何となく重いクラスの視線を背中に受けつつ、オレは教室を抜け出した。

ウサギの心臓を持つ臆病なオレは、そっと職員室の扉を開いた。ぐるっと見回すが茶柱先生の姿は見えない。仕方がないので鏡で自分の顔をチェックしている先生に声をかける。

「あの、茶柱先生居ます？」

「え？　サエちゃん？　えーっとね、さっきまでいたんだけど」

振り返った先生は、セミロングで軽くウェーブのかかった髪型の今時の大人って感じの人だ。親しそうに茶柱先生の名前を呼ぶ。年齢も近そうだし友達なのかも。

「ちょっと席をはずしてるみたい。中に入って待ってたら？」

「いえ。じゃあ廊下で待ってます」

なんか職員室って好きになれないんだよな。注目を浴びるのが嫌だったので、オレは廊下で待つことにした。すると何を思ったか、若い先生がひょっこりと廊下に出て来た。

「私はBクラス担任の星之宮知恵って言うの。佐枝とは、高校の時からの親友でね。サエちゃんチエちゃんって呼び合う仲なのよ～」

聞いてもいないのに、使い道のなさそうな情報を提供してもらった。

「ねえ、サエちゃんにはどういう理由で呼び出されたの？　ねえねえ、どうして？」

「さあ。それはオレにもさっぱり……」

「分かってないいんだ。理由も告げずに呼び出したの？　ふーん？　君の名前は？」

質問攻め。ジロジロと観察するように、上から下までオレを見回す。

「綾小路、ですけど」

「綾小路くんかぁ。何ていうか、かなり格好いいじゃない～。モテるでしょ～？」

何なんだこの軽いノリの先生は。うちの茶柱先生と違って教師と言うより学生に近い。

男子校に居たら、たちまち全生徒の心を鷲掴みにしてしまうだろう。

「ねえねえ、もう彼女とか出来た？」

「いえ……あの、別にオレ、モテないっすから」

絡むと火傷しそうだったのでわざと嫌そうにしてみせたが、星之宮先生はそれすらも楽しむように積極的に近づいてきた。するりと細く綺麗な手がオレの腕を掴む。

「ふーん？　意外ね、私が同じクラスに居たら絶対放っておかないのに～。ウブってわけでもないでしょ？　つんつんっと」

頬を人差し指で突かれ、どう返すべきか戸惑う。いきなり指でも舐めればこの絡みも終わるだろうが、職員会議に掛けられて退学まで一気に持っていかれそうだ。

「何やってるんだ、星之宮」

突然、現れた茶柱先生が手にしていたクリップボードでスパン、と響きの良い音をさせ星之宮先生の頭をしばいた。痛そうに頭を押さえて蹲る星之宮先生。

「いったぁ。何するの！」

「うちの生徒に絡んでるからだろ」

「サエちゃんに会いに来たって言ったから、不在の間相手してただけじゃない」

「放っとけばいいだろ。待たせたな綾小路。ここじゃ何だ、生活指導室まで来て貰おうか」

「いえ、別に大丈夫ですけど。それより指導室って……オレ何かしました？　これでも一応目立たないよう学校生活を送って来たつもりなんですが」

「口答えはいい。ついてこい」

　何なんだよ、と思いながらも歩き出した茶柱先生についていく。するとオレの横に並び笑顔の星之宮先生もついてきた。すぐそれに気づき、茶柱先生は鬼の形相で振り返る。

「お前はついてくるな」

「冷たいこと言わないでよ～。聞いても減るものでもないでしょ？　だって、サエちゃんって個別指導とか絶対しないタイプじゃない？　なのに、新入生の綾小路くんをいきなり指導室に呼び出すなんて……何か狙いがあるのかなぁ？　って」

　ニコニコと茶柱先生に答えた後、オレの背後に回り両肩に手を置いた。

　背後の星之宮先生の顔は見えないが、ビリビリとした気配がぶつかり合うのが分かった。

「もしかしてサエちゃん、下剋上でも狙ってるんじゃないのぉ？」

　下剋上？　どういう意味だ。

「バカを言うな。そんなこと無理に決まっているだろ」

「ふふっ、確かに。サエちゃんにはそんなこと無理よね～」

　含みのあるセリフを呟き、星之宮先生はオレたちの後を追ってくる。

「どこまで着いてくるつもりだ？　これはDクラスの問題だ」

「え？　一緒に指導室だけど？　ダメなの？　ほら、私もアドバイスするし～」

無理やり星之宮先生がついて来ようとした時、一人の女子生徒がオレたちの前に立ちはだかった。見たことのない、薄ピンク色の髪をした美人の生徒だった。

「星之宮先生。少しお時間よろしいでしょうか？　生徒会の件でお話があります」

一瞬オレと目が合ったが、すぐに視線を逸らし星之宮先生に向き直った。

「ほら、お前にも客だ。さっさと行け」

パン、とクリップボードで星之宮先生のケツを叩く。

「もう〜。これ以上からかってると怒られそうだから、またね、綾小路くんっ。じゃあ職員室にでも行きましょうか、一之瀬さん」

そう言い、ひらりと踵を返し、一之瀬と呼ばれた美人と職員室へ入っていく。

星之宮先生を見送り、ポリポリと頭をかいた後、茶柱先生は指導室に向かうのか歩き出した。程なくして職員室の近くにあった指導室へと入る。

「で……何なんですか、オレを呼んだ理由って」

「うむ、それなんだが……話をする前にちょっとこっちに来てくれ」

指導室の壁に掛けられた丸時計をチラチラと確認していたかと思うと、指導室の中にあるドアを開く。そこは給湯室になっているようで、コンロの上にはヤカンが置かれていた。

「お茶でも沸かせばいいですかね。ほうじ茶でいいすか？」

オレは粉末のほうじ茶が入った容器を手に取る。

「余計なことはしなくていい。黙ってここに入ってろ。いいか、私が出てきて良いと言うまでここで物音を立てずに静かにしてるんだ。破ったら退学にする」

「は？　言ってる意味が全く――」

説明を受けることもできず、給湯室のドアが閉められた。一体何を企んでいるんだか。

一応言われた通り静かに待っていると、程なくして指導室のドアが開く音がした。

「まあ入ってくれ。それで、私に話とは何だ？　堀北」

どうやら指導室を訪ねて来たのは堀北のようだ。

「率直にお聞きします。何故私が、Dクラスに配属されたのでしょうか」

「本当に率直だな」

「先生は本日、クラスは優秀な人間から順にAクラスに選ばれたと仰いました。そしてDクラスは学校の落ちこぼれが集まる最後の砦だと」

「私が言ったことは事実だ。どうやらお前は自分が優秀な人間だと思っているようだな」

指摘を受け、堀北はどう返すつもりなのか。オレなら強気に反論する、にベットするな。

「入学試験の問題は殆ど解けたと自負していますし、面接でも大きなミスをした記憶はありません。少なくともDクラスになるとは思えないんです」

ほら当たった。堀北は自分が優秀な人間だと思っているタイプだ。そしてそれは自意識過剰ではなく、実際に優秀だと思う。先日のテストも、堀北は同率1位に名を連ねていた。

「入試問題は殆ど解けた、か。本来なら入試問題の結果など個人に見せないが、お前には特別に見せてやろう。そう、偶然ここにお前の答案用紙がある」

「随分と用意周到ですね。……まるで私が抗議のために来る、と分かっていたようです」

「これでも教師だ。生徒の性格はある程度理解しているつもりなんでな。堀北鈴音。お前の入試結果は自分の見立て通り、今年の一年の中では同率で3位の成績を収めている。一位二位とも僅差。十分過ぎる出来だな。面接でも、確かに特別注視される問題点は見つかっていない。むしろ高評価だったと思われる」

「ありがとうございます。では——何故？」

「その前に、お前はどうしてDクラスであることが不服なんだ？」

「正当に評価されていない状況を喜ぶ者などいません。ましてこの学校はクラスの差によって将来が大きく左右されます。当然のことです」

「正当な評価？　おいおい、お前は随分と自己評価が高いんだな」

茶柱先生は失笑、あるいは単純な笑いなのか、を堀北に対して浴びせる。

「お前の学力が優れている点は認めよう。確かにお前は頭が良い。だけどな、学力に優れた者が優秀なクラスに入れると誰が決めた？　そんなこと我々は一度も言っていない」

「それは——世の中の、常識の話をしているんです」

「常識？　その常識とやらが今のダメな日本を作ったんじゃないのか？　ただテストの点

数だけで人間を評価し、優劣を決めていた。その結果無能な人間が上で幅を利かせて本当に優秀な人間を蹴落とそうと躍起になる。そして、結局最後に行きつくのは世襲制だ」

世襲制とは、地位や名誉、職を子孫代々受け継いで行くという意味だ。

オレはその言葉を聞き、思わず喉を鳴らした。そして、胸が痛い。

「確かに勉強が出来ることは1つのステータスだ。それを否定するつもりはない。しかし、この学校は本当の意味で優秀な人間を生み出すための学校だ。それだけで上のクラスに配属されると思ったら大間違いだ。この学校に入学した者には、それを一番最初に説明しているはずだがな。それに、冷静になって考えてみろ。仮に学力だけで優劣を決めていたのなら、須藤たちが入学できたと思うのか？」

「っ……」

この学校は日本屈指の進学校にもかかわらず、勉学以外で入学ができている生徒がいる。

「それに、正当に評価されていない状況を喜ぶ者は居ない、と決めつけた発言をするのも早計だな。Aクラスともなれば、学校から受けるプレッシャーは強く下のクラスからの妬みも強い。日々重いプレッシャーの中で競争させられるのは想像よりも遥かに大変なものだ。中には正当に評価されないことを良しとする者もいる」

「冗談でしょう？　そのような人間、私には理解できません」

「そうかな？　Dクラスにも居ると思うがな。低いレベルのクラスに割り当てられて喜んでいる変わり者の生徒が」

それは、まるで壁越しにオレへと語り掛けているようだった。

「説明になっていません。私がDクラスに配属されたのが事実かどうか、採点基準が間違っていないかどうか。再度確認をお願いします」

「残念だがDクラスに配属されたことはこちらのミスではない。お前はDクラスになるべくしてなった。それだけの生徒だ」

「……そうですか。改めて学校側に聞くことにします」

どうやら諦めるわけではなく、担任じゃ話にならないと判断したようだ。

「上に掛け合っても結果は同じだ。それに悲観する必要はない。朝も話したが、出来不出来でクラスは上下する。卒業までにAクラスへと上がれる可能性は残されている」

「簡単な道のりとは思えません。未熟な者が集まるDクラスがどうやってAクラスよりも優れたポイントを取れるというのですか。どう考えても不可能じゃないでしょうか」

堀北の苦言ももっともだ。今回の圧倒的なポイント差がそれを表している。

「それは私の知ったことじゃない。その無謀な道のりを目指すか目指さないかは個人の自由だ。それとも堀北、Aクラスに上がらなければならない特別な理由でもあるのか？」

「それは……今日のところは、これで失礼します。ですが私が納得していないことだけは覚えておいてください」

「分かった、覚えておこう」

ギッと椅子を引く音が聞こえた。話し合いは終わったらしい。

「あぁそうだった。もう一人指導室に呼んでいたんだった。お前にも関係のある人物だぞ」

「関係のある人物……？　まさか……兄さ──」

「出て来い綾小路」

こんなタイミングで呼んでほしくない。よし、このまま出ないでおこう。

「出てこないと退学にするぞ」

ひ、ひでぇ。聖職者が平然と退学を武器にしやがって。

「いつまで待たせれば気が済むんスかね」

ため息をつきながら、わざとらしく指導室へ戻る。堀北は当然驚き戸惑っている。

「私の話を……聞いていたの？」

「話？　何か話してるのは分かったがよく聞こえなかったな。意外と壁が厚いんだ」

「そんなことはない。給湯室はこの部屋の声が良く通るぞ？」

どうやら、茶柱先生は何が何でもオレをこの土俵に引きずり出したいらしい。

「……先生、何故このようなことを？」

これが仕組まれた流れだったことに、すぐに気が付く堀北。明らかにご立腹だ。

「必要なことと判断したからだ。さて綾小路、お前を指導室に呼んだワケを話そう」

茶柱先生は堀北の疑問を適当に流し、オレへと話題をシフトする。

「私はこれで失礼します……」

「待て堀北。最後まで聞いておいた方がお前のためにもなる。それがAクラスに上がるためのヒントになるかもしれないぞ」

背を向けかけた堀北の動きが止まり、そして椅子に座りなおした。

「手短にお願いします」

茶柱先生はクリップボードに視線を落としながら、ニヤニヤと笑った。

「お前は面白い生徒だな、綾小路」

「茶柱、なんて奇特な苗字をもった先生ほどオモシロイ男じゃないすよ、オレは」

「全国の茶柱さんに土下座してみるか？　んん？」

いや、多分全国探しても茶柱なんて苗字はあんた以外居ないと思うんだが……。

「入試の結果を元に、個別の指導方法を思案していたんだが、お前のテスト結果を見て興味深いことに気が付いたんだ。最初は心底驚いたぞ」

クリップボードから見覚えのある入試問題の解答用紙がゆっくりと並べられていく。

「国語50点、数学50点、英語50点、社会50点、理科50点……おまけに今回の小テストの結果も50点。これが意味するものが何か分かるか？」

堀北は驚いた様子でテスト用紙を食い入るように見て、オレへと視線を移した。

「偶然って怖いっスね」

「ほう？　あくまでも偶然全ての結果が50点になったと？　意図的にやっただろ」

「偶然です。証拠はありません。そもそも試験の点数を操作してオレにどんな得があると？　高得点を取れる頭があるなら、全科目満点狙ってますよ」

わざとおどけてみせると、教師は呆れたようにため息をついた。

「お前は実に憎たらしい生徒のようだな。いいか？　この数学の問5、この問題の正解率は学年で3％だった。が、お前は間の複雑な証明式も含め完璧に解いている。一方、こっちの問10は正解率は76％。それを間違うか？　普通」

「世間の普通なんて知りませんよ。偶然です、偶然」

「全く、その割り切った態度には敬服を覚えるが、将来苦労することになるぞ」

「当分先ですし、その時になって考えます」

どうだ？　と言わんばかりに、茶柱先生は堀北を見る。

「あなたは……どうしてこんなわけのわからないことをしたの？」

「いや、だから偶然だっての。隠れた天才とか、そんな設定はないぞ」

「どうだかなぁ。ひょっとしたらお前よりも頭脳明晰かも知れないぞ堀北」

ピクリと堀北が反応する。先生、その余計な口出しそろそろやめて貰えないでしょうか。

「勉強好きじゃないですし、頑張るつもりもないですし。だからこんな点なんですよ」

「この学校を選んだ生徒が言うことじゃないな。もっとも、お前の場合、高円寺のように、Dでも A でも良いと思えるような、他の生徒とは異なる理由があるのかも知れないが」

　この学校だけでなく、この教師もまた普通じゃない。先ほどの堀北との対話でも、堀北を動揺させる言葉を乱発していた。まるで在校生すべての『秘密』を握っているようだ。

「何ですか。その異なる理由って」

「詳しく聞きたいか？」

　担任の茶柱先生の眼光、その奥には鋭く覗かせる光があったことをオレは見逃さなかった。どうやらそっちに誘導されているようだ。

「やめておきます。聞くと突然発狂して、部屋の備品という備品を破壊しそうなんで」

「そうなれば綾小路、お前は E クラスへ降格だな」

「そんなクラスありましたっけ」

「喜べ。E クラスってのは、イコール E x p e l l e d。退学ってことだ。ま、話はこれだけだ。これからの学生生活を満喫してくれ」

　実に皮肉の効いたセリフだった。

「私はもう行く。そろそろ職員会議の始まる時間だ。ここは閉めるから二人とも出ろ」

　背中を押され、オレたち二人は廊下へと放り出される。茶柱先生はなぜオレを呼び出し、堀北と鉢合わせさせたのか。意味のないことをするタイプには見えなかったけどな。

「とりあえず……帰るか」

堀北の確認を取らず歩き出す。今は、一緒に居ない方がいいと判断した。

「待って」

堀北はそんなオレを呼び止めたが立ち止まらない。寮まで逃げ切ればゴールだからな。

「さっきの点数……本当に偶然なの？」

「当事者がそう言ってるだろ。それとも意図的だって根拠でもあるのか？」

「根拠はないけれど……。綾小路くん、少し分からないところがあるし。事なかれ主義って言ってるから、Ａクラスにも興味なさそうだし」

「お前こそＡクラスには並々ならない思いがあるようだな」

「……いけない？　進学や就職を有利にするために頑張ろうとすることが」

「別にいけなくはない。自然なことだ」

「私はこの学校に入学して、ただ卒業すれば、それがゴールだと思っていた。でも、実際は違った。まだスタートラインにも立っていなかったのよ」

堀北は歩く速度を上げたのか、気が付けば隣に並ばれていた。

「じゃあお前は、本気でＡクラスを目指すつもりなんだな」

「まずは学校側に真意を確かめる。私が何故（なぜ）Ｄクラスに配属されたのか。もし、茶柱先生の言うように私がＤだと判断されたのだとしたら……。その時はＡを目指す。いいえ、必ずAクラスに上がって見せる」

「相当大変だぞ、それは。問題児たちを更生させなきゃならない。須藤の遅刻やサボり癖、授業中の私語、テストの点数。それだけやって、やっと±0だ」

「……分かってるわよ。出来れば学校側のミスであることを期待するわ」

堀北の自信あふれる言葉が逆に不安になる。本当に分かっているのだろうか。

今日の情報から導き出されたオレの結論は『絶望』の二文字だ。基本的な学校生活のルールを守れば、マイナスはある程度防げるだろう。しかし、肝心なのはプラスになる行動が不明ということだ。最も優秀とされるAクラスが、僅かとはいえマイナスを記録した。それにたとえポイントを増やす効率的な手立てが見つかったとしても、それは他のクラスも同じようにポイントを増やすことが可能になるってことでもある。

一度開いてしまった点差を詰めるのは、時間制限のある競争の中では非常に難しい。

「あなたの考えていることは大体わかる。でも、学校側がこのまま静観を続けるとは思えないわ。それじゃあ競争の意味は無いもの」

「なるほどな、そう言う考え方も出来るか」

学校側が入学1か月でAクラスの逃げ切りを許す、なんてことはしないと読んだわけだ。つまり、どこかで大きくポイントが増減する機会が訪れると堀北は確信しているのか。

「自分の手でこの状況をなんとかしてみようとは考えない？」

「考えない」

「誇らしげに即答しないで」

脇腹に手刀が突き刺さった。苦悶の表情を作っても堀北は一切無視だ。

「いつつ……。お前の気持ちは汲んでやるけど、個人で何とかできる問題じゃない。須藤だって言ってただろ。自分が改善してもクラス全体がマイナスならどうにもならないって」

「違うわね。正しくは、個人ではどうにもならないけど、個々が解決しなければならない、非常に厄介な問題よ。一人一人がやらなければ、スタートラインにも立てないの」

「オレにわかったのは、答えがなんにせよ、すげえ面倒そうってことだけだ」

「すぐに改善しなければならないことは大きく3つ。遅刻と私語。それから中間テストの点数で全員が、赤点を取らないこと」

「前者の二つはある程度何とかなるだろう。けど、中間テストはなぁ」

先日の小テスト、確かに難しい問題もあったけど、大半は難易度の低いものだった。あれで赤点を取る生徒が何人もいるレベルじゃ、正直この先の中間テストはお先真っ暗だ。

「そこで――綾小路くんにも協力をお願いしたいの」

「協力ぅ？」

露骨に嫌そうな顔をしたが、肝心のその顔を堀北は一瞥しただけで流した。

「今朝平田に断りを入れるお前を見たし、同じような理由で断ってもいいんだよな？」

「断りたいの？」

「あのな、オレが喜んで協力するとでも？」

「喜んで協力する、とまでは思っていなかったけれど、断られるとは思ってなかったわ。もしも本気で断ると言うのなら、その時は……いえよしましょう。今その先を考えても仕方のないこと。それで、協力して貰えるのか貰えないのか、どっちなの？」

　出来れば黙り込んだその先の言葉を教えてもらいたい……。とはいえ、どうしたものかな。助けを求めているものを無下に断るつもりはない。いやいや冷静になれオレ。ここで安直に協力するなんて言ったら、卒業までコキ使われるぞ。ここは心を鬼にしなければ。

「断る」

「綾小路くんなら協力する、そう言ってくれると信じてた。感謝するわ」

「言ってねーし！　見事に断っただろ！」

「いいえ、私には心の声が聞こえたもの。協力するって言ってた」

　怖っ、何その電波的なもの、怖っ。

「そもそもオレに協力できるようなことがあるとは思えないけどな」

　堀北はテストの点はもちろん、頭の回転も速い。オレが力を貸す必要はないはずだが。

「心配することはないわ。綾小路くんが頭を使う必要は欠片もないから。作戦は私に任せて、あなたは身体を動かしてくれればいい」

「は？　なんだよ、身体を動かすって」

「綾小路くんとしてもポイントが多い分には困らないでしょう？　私の指示に従っていれば、必ずプラスポイントまで持っていくと約束する。悪い話ではないはずよ」

「どんな策があるのか知らないが、オレ以外に頼れるようになれよ。友達が出来るようにする協力くらいはしてやるから」

「残念だけど、Ｄクラスにはあなた以上に使いやすそうな人材が思い当たらない」

「いやいや、山ほどいるって。ほら例えば平田とか。あいつならクラスメイトにも顔が利くし、頭もいい、完璧だ。おまけに堀北が孤立してることを気にかけてくれてる」

こちらから手を伸ばせば、すぐにでも仲良しの出来上がりだ。

「彼ではダメね。確かに一定の才能は持っているけれど、私はそれを受け入れられない。そう、例えるならば将棋の駒。今私が欲しているのは金や銀ではなく、歩なのよ」

それって、オレが歩って言ってる？　言ってるよね？

「歩も努力すれば金になるんだぜ？」

「面白い回答だけど、綾小路くんは努力しなそうな人間だもの。ずっと歩でいいから前に進みたくない、とか考えていそうじゃない？」

出会って間もないくせに的確なツッコミしやがって。普通の人間なら心が折られてるぞ。

「悪いが、やっぱり協力は出来ない。オレ向きじゃないよ」

「じゃあ、考えがまとまったら連絡するから。その時はよろしく」

こっちの意思はこれっぽっちも堀北(ほりきた)に届かなかった。

○集え赤点組

5月初日から、早くも1週間が経とうとしていた。池たちも、黙って教師の話に耳を傾けている。唯一須藤だけは堂々と居眠りしていたが、誰にも咎められなかった。未だプラスポイントに転じる術が見つかっていない以上、矯正できないという判断か。

それでも須藤が日々、多くのクラスメイトから煙たがられていくことには変わりない。

……オレもちょい眠い。この時間が終われば昼飯、辛い時間帯だ。昨日ネットで動画を見ていたら夜更かししてしまった。このまま眠ったら気持ちいいんだろうなぁ……。

「たうわ!?」

うつらうつらと頭を前後させていると、突如右腕に強烈な痛みが走った。

「どうした綾小路。いきなり大声をあげて。反抗期か?」

「い、いえ。すいません茶柱先生。ちょっと目にゴミが入りまして……」

今のが私語扱いになるのかどうかは微妙なところだが、ポイントに敏感になっているクラスメイトから痛い視線が飛んできた。ヒリヒリする部分を撫でながら、オレは隣人を強烈に睨みつけた。こちらに目線だけを向けた堀北の手には、コンパスが握られている。

正気の沙汰じゃない。そもそも何故コンパスなんて常備してるんだ。高校の授業で使うことは殆ど無いと思うんだが。授業が終わるなり、オレは即座に堀北に詰め寄った。

「やって良いことと悪いことがあるだろ！　コンパスはやばいぞコンパスは！」

「ひょっとして怒られているの？　私」

「腕に穴が開いたんだぞ穴が！」

「何のこと？　私がいつ綾小路くんにコンパスの針を刺したの？」

「いや、だって手に持ってるだろ、凶器を」

「まさか手に持ってるだけで刺したと決めつけたの？」

　目は醒めたが、その後痛みで授業どころじゃなかったぞ。

「気を付けて。あなたが居眠りをして、それを見つかれば間違いなく減点よ」

　堀北はDクラスを脱却するために行動を起こし始めた。学校側への抗議は水泡に帰したのだろう。あー痛い。くそ、堀北が居眠りしそうだったら今度仕返ししてやる。

　各々食事のため席を立とうとし始めた時、平田が口を開いた。

「茶柱先生の言っていたテストが近づいてる。赤点を取れば、即退学だという話は、全員理解していると思う。そこで、参加者を募って勉強会を開こうと思うんだ」

　Dクラスのヒーローは、どうやらそんな慈善事業も始めるつもりらしい。

「もし勉強を疎かにして、赤点を取ったらその瞬間退学。それだけは避けたいんだ。それに、勉強することは退学を阻止するだけじゃなく、ポイントのプラスにも繋がる可能性がある。高得点をクラスで保持すれば査定だって良くなるはずだよ。テストの点数が良かった上位数人で、テスト対策に向けて用意をしてみたんだ。だから、不安のある人は僕たちの勉強会に参加してほしい。もちろん誰でも歓迎するよ」

平田は須藤の目をジッと見つめ、そう優しく話しかけた。

「……ちっ」

すぐに目を逸らし腕を組んで目を閉じる須藤。

入学初日、自己紹介の件で平田を突っぱねてから、須藤は平田との関係は悪いままだ。

「今日の5時からこの教室でテストまでの間、毎日2時間やるつもりだ。参加したいと思ったら、いつでも来てほしい。もちろん、途中で抜けても構わない。僕からは以上だ」

そう言って話を終えた途端、数人の赤点生徒がすぐに席を立ち、平田の元へ向かう。

赤点組で平田の元へすぐに駆けつけなかったのは、須藤、池、山内の3人。須藤以外の二人は少し迷っているようだったが、結局平田の下にはいかなかった。須藤の機嫌が悪くなるのを恐れたのか、単純に平田のモテっぷりが嫌だったのか、それは定かではない。

1

「お昼、暇？　もし良かったら、一緒に食べない？」

昼食をどうしようかと思っていると、堀北が自ら話しかけて来た。

「堀北からの誘いなんて珍しいな。なんだか怖いぞ」

「別に怖くないわよ。山菜定食で良ければ奢らせてもらうけれど」

それ、無料の定食ですやん……。

「冗談よ。ちゃんと奢ってあげる、好きなもの食べて構わないわ」

「やっぱ怖いな。なんか裏があるんじゃないだろうな？」

そもそも堀北がオレを食事に誘うと言うこと自体が、怪しくて仕方がない。

突然誘われたら疑問に感じる。前に堀北がそう言ったことを思い出した。

「人の好意を素直に受け取れなくなったら人間お終いよ？」

「まあ、そりゃそうだけど……」

特に予定は入っていなかったし、奢ってもらえるならと堀北と食堂へ向かう。

高めのスペシャル定食を選び、席を確保し堀北と共に座る。

「それでは、頂きますっと？」

オレが食べるのを待っているのか、堀北はじーっと見つめている。

「どうしたの綾小路くん？　早く食べたら？」

「あ、ああ」

怖いな。絶対に裏がある。ないわけがない。とはいえ、いつまでも食べないわけにもいかない。それに冷めたら勿体ないしな。恐る恐るコロッケを一口かじった。

「早速だけど話を聞いて貰えるかしら」

「圧倒的に嫌な予感がする……」

逃げようと思って立ち上がろうとすると、手を掴まれた。

「綾小路くん、もう一度言うわ。話を聞いて貰える？」

「ふぁい……」

「茶柱先生の忠告以降、クラスの遅刻は確かに減り私語も激減したわ。大半のマイナス要素だった部分は消せたと言っても過言じゃない」

「ま、そうだな。元々難しいことじゃないし」

長続きはしないかも知れないが、少なくともここ数日は以前よりも遥かにマシだ。

「次に私たちがすべきこと、それは2週間後に迫っているテストでより良い点数を取るための対策よ。さっき、平田くんが行動を起こしたようにね」

「勉強会か。ま……確かに赤点対策は出来るだろうな。ただ――」

「ただ、何？　随分と含みのある言い方ね。問題でもある？」

「いや、気にしないでくれ。でもお前が他人を気にするなんて珍しいな」

「本来なら、テストで赤点を取るなんて私には考えられない。けれど、世の中にはどうしても赤点を取ってしまうような、どうしようもない生徒がいるのも事実」

「須藤たちのことか。相変わらず容赦ない物言いだな」

「事実を事実として述べただけよ」

この学校は敷地内から出られない上に、外部との連絡は一切禁じられているし、塾のような施設も無い以上、結局勉強のできる生徒に授業以外で教わるしか対策の術はない。

「平田くんが積極的に勉強会を開いてくれるようだから、安心したの。でも、須藤くん、池くん、山内くんは勉強会に参加しない様子だったでしょう？　気になったの」

「あいつらはなぁ。平田とは疎遠と言うか、仲良くないからな。参加しないだろうな」

「つまりこのままだと彼らは赤点の可能性が高い、と。そしてAクラスに上がるためには、マイナスポイントを取らないことは大前提で、プラスになるポイントを集めることが必要不可欠でしょう？　私はテストの点数がプラスに結びつく可能性もあると見ているの」

テストで頑張った分、生徒たちに見返りがあると考えるのは自然なことだ。

「もしかして――お前も平田みたいに勉強会を開くってことか？　それも、須藤や池たちを救済するって目的の」

「ええ。そう考えて貰っても差し支えないわ。意外と、思うでしょうけど」

「そりゃ今までのお前の態度を見てたら、意外だと思わないはずがないだろ」

それでもオレ自身、驚きそのものは少ない。あくまでも自分自身のためってことだろうし、堀北がそこまで特別冷たい人間だとオレ個人は思っていない。

「まぁ、お前がAクラスに行きたいって思いは伝わって来た。ただ、正直須藤たちに勉強を教えるのは一筋縄ではいかないと思うぞ。赤点を取る生徒は大抵、人よりも勉強することが嫌いだ。それにお前は初日にクラスメイトから距離を置いただろ？　友達なんていらないと思ってる人間の元に集まる奇特な奴は居ないぞ」

「だからあなたに話してるんじゃない。幸いあなたが親しくなった人たちでしょう？」

「は？　……おい、まさか――」

「彼らはあなたが説得すれば話は早い。友達、と言うありがたい存在だから問題はないはずでしょ？　そうね、図書館に連れて来て。勉強そのものは私が教えるから」

「お前無茶言うなよ。当たり障りのない平坦な道を歩くオレにそんなリア充も真っ青な行動が出来ると思ってんのか？」

「出来る出来ないじゃない。やるのよ」

オレはお前の飼い犬か何かか。

「堀北がAクラスを目指すのは自由だが、オレを巻き込むなって」

「食べたわよね？　私の奢りで。お昼を。スペシャル定食、豪華で良かったわね」

「人の好意を素直に受け取っただけだ」

「残念だけど、それは好意ではなくて他意よ」

「一言も聞いてねえし……よし、じゃあポイント分オレも奢る。それでチャラだ」

「私、人に奢られるほど落ちぶれているつもりはないから。お断りします」

「今初めて、オレはお前に対して怒りを覚えたかも知れない……」

「それでどうなの。協力してくれるの？　それとも私を敵に回すの？」

「拳銃を額に突きつけられて、やれと脅されているようだ……」

「ようだではなく、事実脅しているようなものね」

これが堀北の言う、暴力の力って奴だろうか。確かに効率的だ。

まあ……集めるくらいだったら別に協力してもいい、か？

堀北は友達を作っていないから、この手のことは事実最も不得意なはずだ。

それに、須藤や池たちは折角出来た友達でもある。早々に退学させてしまうのは嫌だ。

どうするか迷っていると、堀北はさらに畳みかけて来た。

「櫛田さんと結託して、嘘で私を呼び出したこと、許したつもりはないのだけれど？」

「あの件は責めないって言っただろ。今更持ち出すなんてずるいぞ」

「それは櫛田さんに対してであって綾小路くんを許した覚えはないの」

「うわ、汚ねぇ……」

「帳消しにしてほしかったら私に協力することね」

どうやら最初からオレに逃げ道は無かったらしい。

堀北はその材料を残して手伝わせたかったようだが、この際帳消しにできるだけマシか。

「集められる保証はないぞ？　それでもいいのか？」

「私はあなたなら全員集められると信じてるから。これ、私の携帯番号とアドレス。何かあったら、これで連絡して」

まさかの形で、高校生活初、女子の連絡先をゲットした。

堀北のだけど。……べ、別に嬉しくなんてないんだからなっ。

2

教室をぐるりと見回す。さて、どうしたもんか。

『放課後一緒に勉強しないか？』なんて声をかけて、誰かついてくるだろうか。

須藤や池たちとは、たまに飯を食う程度の仲にはなった。だけどあいつらは勉強とは縁遠い位置に居る。……ダメ元か。一応聞くだけ聞いてみよう。

「須藤、ちょっといいか？」

昼休みに教室へ戻って来た須藤に話しかける。須藤は薄らと汗をかいていて、息が少し上がっていた。もしかしたら、昼休みもバスケの練習に励んでいたのかも知れない。

「今度の中間テスト、どうするつもりなんだ？」

「そのことか……。わかんねえよ、勉強なんて真面目にやったことねーし」

「お、そうか、じゃあ丁度いい方法があるぞ？　今日から放課後、毎日勉強会やろうと思ってるんだ。参加しないか？」

暫くの間、口を開けて考える須藤。

「本気か？　学校の授業ですら面倒臭ぇのに放課後も勉強なんてやってられっか。それに俺は部活もあるからな、無理だ無理。第一お前が教えんのか？　点数良くなかっただろ」

「その辺は安心しろ。勉強を教えるのは堀北だ」

「堀北？　あいつのことはよくわかんねぇしな。胡散臭い、断る。テスト前に一夜漬けすりゃ何とかなんだろ。もう行けよ」

案の定、須藤は勉強会をすぐに断った。粘ってはみるものの聞く耳を持たない。

くそ、ダメか。須藤にこれ以上食いついたら殴られかねない。仕方ない。まずはもうちょっと落としやすそうなヤツから行くか。一人携帯で遊んでいる池に声をかける。

「池、なあ――」

「パス！　須藤に言ってた話聞こえてたぞ。勉強会？　嫌だね、そんなの」

「赤点取ったら退学だって分かってるのか？」

「俺、確かによく赤点取ってたけどさ、大体乗り切ってきてんだよな。どうしても頑張るときは須藤と一緒に一夜漬けで暗記すっから」

本気を出せば大丈夫とタカをくくっているのだ。退学に対する危機感を持っていない。

「この間の小テストも不意打ちじゃなかったら40点くらいとってたって」

「お前の言いたいことは分かった。でも万が一ってこともあるだろ？」

「放課後は高校生の貴重な時間だぜ？　勉強なんてしてらんねーよぉ」

もう行けよ、と手で払われる。携帯でクラスの女子とチャットすることに熱中している。

平田が彼女を作った話を耳にして以来、池は彼女を作ろうと躍起だ。オレはわざとらしく肩を落とし自分の席に戻った。頑張ったけど無理でしたアピールで、許してもらう作戦だ。

「使えない」

「……今聞こえたぞ、何て言った？」

「使えない、って言ったの。まさかそれで終わりなんて言わないわよね？」

くっそー。人に頼んでおきながら、なんてふてぶてしいヤツだ。

「そんなわけないだろ。まだオレには四百二十五の手が残されてる」

オレは腰を据えて教室の中を見回した。授業中の緊張感とは裏腹に、弛緩した空気の流れる昼休みは、とにかく騒がしい。

勉強嫌いの人間を勉強させる方法。それも授業中ではなく、自由な時間である放課後を利用しての勉強。普通なら断られて然るべきだが相手は退学の危機がかかっている。

今は拒絶する須藤も、きっかけさえあれば参加してくれるはずだ。

となれば、後はエサを用意するしかない。勉強をすればこんなラッキーなことがあるんだぞと思わせる。出来れば具体的で、かつ分かりやすいもの。そして効果的なものがいい。

――――閃いた！

天啓が舞い降りたオレは、目を見開き堀北へと向き直った。

「勉強を教えるのは堀北の役目だが、須藤や池たちを勉強に誘うのは容易じゃない。そのためにはお前の別の力が要る。協力してくれ」

「別の力？　一応聞いてあげるけど……何をすればいいの？」

「例えば、こういうのはどうだ？　もしテストで満点を取ったら、堀北を彼女に出来るとか。そうすれば間違いなくあいつらは食いつくぞ。男の原動力はいつだって女の子だ」

「死にたいの？」

「いいえ、生きていたいです」

「真面目に考えてるのかと思ったから話を聞いたのに。私がバカだったわ」

いや、割とマジでこういうのが効くと思うんだけどな。多分人生で一番勉強に励む気がする。しかし、そんな男心は堀北には全く理解して貰えない。

「じゃあアレだ。キス。満点取ったら堀北にキスしてもらえるとか」

「やっぱり死にたいの？」

「ま、まだまだ生きていたいです」

鋭い手刀が、素早く首筋にあてがわれる。くそ、やっぱりこの手のご褒美は堀北が絶対認めそうにないか。効果抜群なのに。仕方なく一から考え直す。

と、オレは教室の中で一際目立つ存在に気づく。平田とはまた違い、クラスの輪をまとめられる可能性を持った人物。それは櫛田桔梗だ。

ルックスは勿論のこと、とにかく明るく元気。男女分け隔てなく誰とでも気軽に雑談が出来る社交性。実際池は櫛田にゾッコンだし須藤たちだって悪い印象は持ってない。おまけにテストの点数も、比較的高い方だったはず。この大役にぴったりだ。

「なあ――」

櫛田を仲間に引き入れないか？　と言いかけて、思いとどまる。

「なに？」

「いや……何でもない」

こいつは基本的に人との関わりを嫌っている。前回、櫛田とのトモダチ作戦、堀北は相当怒っていた。今回の勉強会、赤点を取ってない櫛田が関わることを堀北はまず認めてくれないだろう。いったん放課後まで保留して堀北が帰ったあと実行することにしよう。

3

あっという間に放課後がやって来る。堀北はすぐに教室を出て家に帰ってしまった。勉強会用にテスト範囲の絞り込みでも行うんだろう。こっちは櫛田を捕まえることにしよう。

「ちょっといいか？」

帰り支度をしていた櫛田に声をかける。思いがけない来客に、櫛田は首を傾げた。

「珍しいね、綾小路くんから話しかけてくれるなんて。私に何か用かな？」

「あぁ。もし良かったら、少しいいか？　ちょっと教室の外で話がしたい」

「この後友達と遊びに行くから、あんまり時間ないんだけど……いいよ」

嫌がる素振りひとつ見せず、笑顔でついてくる。

廊下の隅に連れて来られた櫛田はわくわくした様子でオレの言葉を待っていた。

「喜べ櫛田。お前は親善大使に選ばれた。これからクラスのために尽力してくれ」

「え、えーと？　ごめん、どういう意味かな？」

かくかくしかじか、オレは須藤たちを救済するための勉強会を開きたいと伝えた。

もちろん、その勉強を教えるのが堀北であることも。

「この勉強会を通じて堀北と仲良くなれるかも知れないし、そう思ってさ」

「仲良くはなりたいけど……そういう心配はいらないよ？　困ってる友達がいたら助けるのは当たり前じゃない？　だから手伝うよっ」

こいつ、良いヤツ過ぎ……。池や須藤たちの退学を阻止したいと思ってくれてるようだ。

「本当にいいのか？　嫌だったら無理強いは出来ないぞ」

「あ、ごめん。さっきの間は嫌って意味じゃないの。ただ……嬉しかったから」

櫛田は壁にもたれかかり、こつん、と軽く廊下を蹴った。

「赤点を取ったら退学なんて酷い話だよね。折角友達になったみんなとそんなことでお別れになっちゃうのって、凄く嫌じゃない？　そんな時平田くんが勉強会を開くって聞いて、凄いなって感心したの。でも堀北さんは私よりもずっと周りをちゃんと見てたって言うか。須藤くんたちのことを見てたから。堀北さんもクラスのことを、友達のことをちゃんと考えててくれたんだなって。私が皆の役に立てるんだったら、何でもするよっ！」

オレの手を取り、櫛田は笑顔を振りまいた。うっわ、めちゃくちゃ可愛いんですけど！

なんて浮かれている場合じゃない。無難な男を目指すオレは格好つけて平静を装った。

「じゃあ、是非頼む。櫛田が居れば百人力だ」

この笑顔を見せられて、コロッといかない男はいないはずだ。意味不明の根拠。

「あ、でもひとつだけお願いを聞いてくれる？　その勉強会に私も参加させてほしいの」

「は？　そんなことでいいのか？」

「うん。私もさ、みんなと一緒に勉強したいし」

こちらとしては願ったり叶ったりだ。櫛田が居れば重くなりがちな勉強会に癒しをもたらしてくれることだろう。問題点が無いわけじゃないが、櫛田には関係のない部分だ。

「それで、勉強会はいつからなの？」

「一応明日から開始出来るように手配してある」

堀北が。と心の中で付け加えておく。

「そっか。じゃあ今日のうちに、皆に声かけなきゃいけないね。後で連絡しておくね」

「あ、須藤たちの連絡先教えようか」

「大丈夫だよ〜。３人とも連絡先知ってるから。私がクラスで携帯登録してないのは、綾小路くんと堀北さんだけだったり……」

知らなかった……。つか、オレと堀北だけって。

「率直に聞くけど、二人ってもう付き合ってるんじゃないの？」

「ど、どこの情報だよそれ。堀北とは友達……いや、ただの隣人だ」

「クラスの女子では、結構噂になってるよ？　堀北さんって、いつも一人じゃない？　なのに綾小路くんとだけは仲良さそうにしてるし。ご飯も一緒に食べたりしてるから」

うーむ、気が付けば女子たちの間でもそんな噂が立ち始めていたのか。

「残念ながらオレと堀北の間に、そんな甘いストーリーは皆無だ」

「じゃあ問題ないってことだね？　私と連絡先、交換してください」

「喜んで」

こうして、オレは女子二人目の連絡先をゲットしたのだった。

4

夜中、自室でボーっとしていたオレの元に一通のメールが届いた。櫛田からだ。

『山内くん、池くん、からはオッケーでたよー(・ω・´)b』

「早っ」

つか池のヤツ、オレの誘いは断っておいて早い手の平返しだな。やっぱり女の子の存在って男にとっては大きいんだろうなぁ。エロとか、無限のパワーを発揮するって言うし。

『今、須藤くんにも連絡してるけど、好感触っぽい(´ω`)』

更にメールが届く。おー。このペースなら本当に明日、全員集まるかも。

予想以上に早い展開に、オレはこのタイミングで堀北へ情報を伝えておくべきだと判断した。櫛田が協力してくれることになったこと、そして池と山内の二人が早くもその効果で集まったこと、更には櫛田が勉強会に参加してくれる旨を書き、堀北にメール送信。

「さて風呂にでも入るかな」

とベッドから立ち上がった途端、即、堀北から電話がかかってきた。

「もしもし?」

「……ちょっと、言ってる意味が理解できないのだけれど?」

「何だよ、意味が理解できないって。簡潔に書いたつもりだぞ? 良かったな、多分須藤含めて3人とも集まりそうだ」

「そこじゃないわ。櫛田さんが手伝ってるって話。聞いていないわ」

「さっき決まったんだよ。クラスメイトの信頼が厚い櫛田が協力してくれればオレが勧誘するよりも遥かに高い可能性で集まる。実際に須藤や池たちが納得してるし。そうだろ？」

「私はそんなことを許可した覚えはないわ。彼女は別に赤点を取ったわけでもないし」

「あのな――オレが声をかけるよりも、クラスとのネットワークを持つ櫛田を引き入れた方が、遥かに成功確率は上がる。単純に確率が高くなる手段を取っただけだ」

「……気に入らないわね。私の許可を取ってからするべきでしょう？」

「お前が櫛田のような積極的な子が嫌いなのはわかってる。けど、赤点を出さないための手段だろ？　それとも今からお前が地道に声をかけて赤点組を集めるか？」

「それは……」

　堀北は、頭では櫛田の協力があった方が良いことは理解しているはず。

　自分のプライドがそれを邪魔していて、素直になれないのだ。

「テストまでそんなに時間もない。いいだろ？」

　こういえば、堀北にだって余裕がないことは伝わるはず。それでも、何かが堀北の中でまだ引っかかっているのか、即決できなかった。少しの間訪れる沈黙。

「……分かったわ。背に腹は代えられないもの。けど、櫛田さんの手伝いを認められるのは赤点組を集める作業だけ。勉強会に参加させることは認められないわ」

「……いや、だからな？　それが櫛田の手伝う条件なんだよ。無茶言うな」

「櫛田さんが勉強会そのものに関わることを、私は認めない。これは変わらないわ」

「それはアレか？　前にオレと櫛田でお前を騙して呼び出す真似したからか？」

「それとこれとは無関係よ。彼女は赤点組じゃない。余計な人を招き入れるのは手間と混乱を生むだけだと判断したの」

一応筋は通っているようだが、とてもそれだけが理由とは思えない。

「なんか露骨に櫛田を嫌ってないか？」

「あなたは自分のことを嫌いな人を傍に置いて不快に感じないの？」

「え？」

堀北の言った意味が、一瞬理解できなかった。

櫛田は間違いなく堀北を誰よりも理解しようとし、友達になろうとしてくれている。

その櫛田が堀北を嫌っている、という風にはとても思えなかった。

「櫛田が来ないからって人が集まらなかったらどうするんだよ」

「……ごめんなさい、テスト範囲の絞り込みに思ったより時間を取られてるの。まだかかりそうだからそろそろ切るわね。じゃ、おやすみなさい」

「あ、おいっ」

一方的に通話を切られた。人嫌いもここまで来ると大概だな。だが、Aクラスに上がることを目標とするなら、歩み寄りも必要なはずだ。

携帯を切った後、充電器に差し込んでテーブルに置くと、ベッドで横になった。

この学校に入学してから今日までのことを思い返す。

「不良品、か……」

入学式の日、二年の先輩がオレたちをそう言っていたっけ。

不良品を英語で言うと、Defective product。

あれはオレたちDクラスの生徒を揶揄した言葉だったんだろうな。一見完璧に見える堀北も、その欠陥を抱えているのかも知れない。今日のことで何となく理解してしまった。

「どうすっかな……」

このまま強行するか？　しかし、その場合堀北の離脱という最悪の展開も考えられる。

勉強を教える堀北が抜けたら、完全にみんなの時間を無駄にしてしまう。

重い気持ちのまま、携帯で櫛田の番号を押すことにした。

「もしもーし」

ぶおー、という強い風の音と共に通話が繋がる。それはすぐに音を弱め聞こえなくなる。

「もしかして、髪乾かしてたか？」

「ごめ、聞こえちゃった？　ちょうど終わったところだから、大丈夫」

風呂上がりの櫛田か。……って、そんなくだらない妄想をしている余裕はなかった。

「いや、あの、すげぇ言いにくい話なんだが……。今日言った赤点組を集める話、無かったことにしてくれないか？」

「……えっと、それはどうして？」

少しの沈黙の後の返答。怒っていると言うよりは理由を知りたがっている様子だ。

「悪い。詳しくは話せない。だが、ちょっと難しくなったんだ」

「そっか……。やっぱり堀北さんに、私のこと反対されちゃったんだね」

微塵もそんな空気を出した覚えは無かったが、電話越しの櫛田に見抜かれた。

「堀北は関係ないよ。こっちでミスがあっただけだ」

「隠さないでもいいよ～。私別に怒ってないよ？　堀北さんは私を嫌ってるみたいだから、拒否られても仕方ないって思ってたし。想像出来てたしね」

女の勘、って奴だろうか。

「とにかく、折角手伝ってくれるってことだったのに悪いな」

「ううん。綾小路くんが謝ることじゃないよ。ただね……？　その、堀北さんじゃ、須藤くんたちを集められるとは思えないな」

それは否定しようにも、凄く難しい部分だった。

「ねえ、堀北さんには何て言われたの？　私が人を集めることにも反対だった？　それとも、勉強会には呼びたくないって言ったの？」

　まるで、隣で通話を聞いていたと言われても、驚かないほどに正確で的確なセリフだ。

「……後者だ。気分悪いよな、悪い」

「あははは、だよね。だから綾小路くんが謝ることじゃないよぉ。ほら、堀北さんって人を寄せ付けないオーラがあるじゃない？　だからそんなこともあるかなーって」

　だとしても、鋭すぎる。

「でも、皆には私も参加するからって理由で納得してもらったからなぁ……。私も誘った手前、参加できなくなった理由に嘘をつけないじゃない？　今から断りのメールとか入れたら、多分堀北さん、本当に皆に嫌われちゃうね……」

　オレは櫛田に対し、少しだけ恐怖心を覚えた。根拠は何もないが。

「今回の件、私に任せて貰えないかな」

「任せる？」

「明日、全員を堀北さんのところに連れて行くよ。もちろん、私も行くね」

「それは――――」

「大丈夫だから。ね？　それとも、今から綾小路くんが全部解決させる？　私抜きで全員を集めて、堀北さんを納得させられる方法がある？」

　残念だがそれはほぼ不可能だろう。

「……わかった。お前に任せる。その代わり、何があっても知らないぞ」

「大丈夫。綾小路くんには何の責任もないことだから。それじゃ、また明日ね」

数分ほどの、櫛田との通話が終わった。まさか堀北との会話以上に疲れることになるとは、思いもしなかった。あいつは大丈夫だと言っていたが、本当に平気か？

堀北は誰が相手であっても、気に入らないことには食って掛かる。一触即発の状態になることは火を見るより明らかだ。不安を覚えながら、オレは浴室へと向かうことにした。

明日のことを考えると――――やめよう、そんな憂鬱なことを考えるのは。

どうせ悩んだって明日は来るし、明日は終わる。何とかなるさ。

5

朝から堀北は不機嫌、怒り心頭だった。これが頰を膨らませて顔を赤くしたり、ポコポコと可愛く男の胸を叩いたり、そんな可愛げのある怒り方だったらどれだけ良いか。

話しかけても終始無言、無表情。まるでオレの存在など空気のように扱ってきやがる。

こっちも無視してやろうと背中を向けると、コンパスを取り出す音が聞こえるから質が悪い。そして、長い長い一日が終わり放課後がやって来た。

「勉強会に参加すべき人は、集まったの？」

今日初めての言葉が、勉強会か。そして、わざと含みのある言い方をされる。

「……櫛田が集めてくれてる。今日から参加するんじゃないかな」

「櫛田さんが、ね。彼女にはちゃんと伝えたの？　勉強会に参加はさせないって」

「伝えた」と返すと、堀北は納得したらしく図書館へ行くことを促す。教室を出る間際オレが目配せで櫛田の方を見ると、可愛すぎるウインクで返された。

図書館の端、長机の一角にスペースを確保し、赤点組を待つ。

「連れて来たよ～！」

座って待っていたオレと堀北の元に、櫛田がやって来た。その背後には――――。

「櫛田ちゃんから勉強会を開くって話を聞いてさ。入学したばっかで退学なんてしたくないしな。よろしくなー」

池と山内、須藤の３人。しかし思いがけない来訪者が一人いた。沖谷という男子生徒だ。

「あれ、沖谷って赤点取ったっけか？」

「あ、う、うん。そうなんだけど……その、テストなんだけど、赤点ギリギリだったから心配で……ダメ……だったかな？　平田くんのグループ、ちょっと入りにくくて……」

可愛く頬を赤らめ、オレを見上げてそう言う沖谷。華奢な身体つきに、ふわっとしたショートボブの青い髪。女子に免疫力のない男子なら、コロッと「惚れてまうやろー！」と叫んでいただろう。こいつが男でなければ危なかった。

「別に、沖谷くんが参加しても大丈夫だよね？」

櫛田が堀北に確認する。確か沖谷の点数は39点、念のために参加したいってことか。

「赤点の心配がある生徒なら、構わないわ。ただし真面目にやってもらうわよ」

「う、うんっ」

嬉しそうに沖谷は席に座る。その隣に櫛田が腰を下ろすが、堀北はそれを見逃さない。

「櫛田さん。綾小路くんから聞かなかったかしら？　あなたは――」

「実は、私も赤点を取りそうで不安なんだよね」

「あなたは……前の小テストで悪い成績ではなかったはずよ」

「うーん、実はあれ、偶然って言うか。選択問題が多かったじゃない？　だから半分くらい当てずっぽうだったんだよ。実際は、結構ギリギリで」

櫛田はえへへ、と可愛く頬を人差し指で掻いた。

「沖谷くんと同じくらいか、ちょっと下くらいだと思うんだよ。だから私も勉強会に参加して、しっかりと赤点を回避したいなって。いいよね？」

図太いと言うか、思わぬ櫛田の策略にオレは驚きを隠せなかった。沖谷が勉強会の参加を認められたことを確認してからの切り返し。これでは堀北も、許可をせざるを得ない。

「……わかったわ」

「ありがと」

櫛田は笑顔で堀北に頭を下げ腰を下ろした。赤点を取らなかった沖谷がこの場に居るのも、全て櫛田の作戦かも知れない。自分が参加できる大義名分を、上手く作り出した。

「32点未満は赤点つってたよな。32点じゃアウトってことか？」

「未満だったらセーフだって。須藤お前大丈夫か？」

池にまで心配される須藤。さすがに以上と未満の違いくらいは知っててもらいたい。

「どちらでも構わないわ。私はここに居る皆には50点を目指してもらうから」

「げぇ、それってその分大変ってことだよな？」

「ギリギリのラインを越えるように勉強に挑むのは危険よ。赤点を楽に越えられるようでなければ、もしもの時に困るのはあなたたちよ」

堀北の正論に、渋々従うように頷く赤点組と、その候補。

「今度のテストで出る範囲はある程度こちらでまとめてみたわ。テストまで残り2週間ほど、徹底して取り組むつもりよ。分からない問題があったら、私に聞いて」

「……おい、最初の問題から分からないんだが」

須藤は半ば睨みつけるように堀北を見た。オレも問題を読んでみる。

『A，B，Cの3人の持っているお金の合計は2150円で、AはBよりも120円多く持っています。また、Cの持っているお金の5分の2をBに渡すと、BはAよりも220円多く持つことになります。Aは始め何円持っていましたか』

連立方程式の問題か。高校生が十分に解ける問題で第一問としては無難なところか。

「少しは頭を使って考えろ。最初から考えることを放棄していたら前に進めないぞ」

「んなこと言ってもよ……俺は勉強の方はからっきしなんだ」

「皆よく受かったよね」

学校側はテストの点数だけで入学の合否を判断してない。須藤は身体能力の高さを評価されたんだろう。そう考えると、赤点で退学を迫られたらたまったもんじゃないな。

「うげ、俺もわかんね……」

池も頭をかきながら困り果てる。

「沖谷くんは分かる？」

「えっと……A＋B＋Cが、２１５０円で……A＝B＋１２０……で」

お、どうやら沖谷の方は赤点を回避しただけあって、連立方程式の式を書き始めた。

その様子を隣で見守る櫛田。

「うんうん、合ってる合ってる。それで？」

櫛田は大胆と言うか、挑発的だ。赤点ギリギリと言いながら沖谷に勉強を教えている。

「正直言って、この問題は中学１、２年生でも、やり方次第で十分に解ける問題よ。ここで躓いていたら先には進めないわ」

「俺たちって小学生以下……？」

「でも堀北さんの言うように、ここで躓くのはやばいかも。小テストに出た数学の最初の問題はこれくらいの難度だったけど、最後の方の問題は難しくて私わからなかったもん」

「いい？　これは連立方程式を用いて簡単に答えを求めることが出来るの」

堀北は迷うことなくペンを走らせていく。残念なことに、その式を読み解けているのは、櫛田と沖谷くらいだった。

「そもそも連立方程式って何だよ……」

「……本気で言っているのか？」

よほど勉強とは無縁の生活だったんだろうな。須藤はシャーペンを机に放り投げた。

「ダメだ、やめる。こんなことやってられるか」

勉強を始めて間もないのに、リタイアを宣言する須藤たち。

そのあまりに情けない姿を見ていた堀北は、静かに怒りを蓄えていた。

「ま、待ってよ皆。もうちょっと頑張ってみようよ。解き方を理解すれば、後は応用だからテストでも生かせるはずだし。ね？　ね？」

「……まぁ、櫛田ちゃんが言うなら、頑張ってみてもいいけどさ……。と言うか、櫛田ちゃんが教えてくれたら、俺もうちょっと頑張れるかも」

「え、えと……」

チラッと堀北にお伺いを立てる櫛田に対し、堀北は無言だった。イエスともノーとも答えない一番困る展開だ。しかし長い間沈黙が続けば、赤点組は勉強を放棄してしまいかねない。櫛田は意を決して、シャーペンを手に取った。

「ここはね、堀北さんの言うように、連立方程式を使った問題なの。だから、私がさっき口にしたのを一度式として書いてみるね」

そう言い三行の方程式を書きつらねていく。頑張ってはいるみたいだが、基本を理解できていない赤点組に答えとなる式を書いて見せてもダメだろう。これは勉強会とは名ばかりの居残り授業みたいなもの。漠然とした勉強方法に、殆どの生徒がついてこられていない。

「で、答えが710円になるの。どうかな？」

本人としては会心の運びだったんだろう、櫛田は笑みを浮かべて須藤を見る。

「……え、これで答え出せるのか？　なんでだ？」

「う……」

そして直後に痛感する。自分の説明についてこられている者が居ないことを。

「あなたたちを否定するつもりはないけれど、あまりに無知、無能すぎるわ」

無言だった堀北が、ついに言葉を発した。

「こんな問題も解けなくて将来どうしていくのか、私は想像するだけでゾッとするわね」

「っせえな。お前には関係ないだろ」

さすがに堀北の言い方が癪に障ったのか、須藤が机をたたいた。

「確かに私には関係ないことよ。あなたたちがどれだけ苦しもうと、影響はないから。ただ憐みを覚えるだけ。」

「言いたいこと言いやがって。今までの人生、辛いことからずっと逃げて来たんでしょうね」

「勉強が将来の役に立たない？　それは興味深い話だわ。根拠を知りたいわね」

「こんな問題解けなくても、俺は苦労したことないからな。勉強なんて不要だろ。教科書に噛り付いてるくらいなら、バスケやってプロ目指した方がよっぽど将来の役に立つぜ」

「それは違うわね。こういった一つ一つの問題を解けるようになって初めて、今までの生活にも変化が生じてくる。つまり、勉強していればもっと苦労しなかった可能性がある、と言うことよ。バスケットにしても同じ道理ね。あなたはきっと自分に都合の良いルールでバスケットに取り組んで来たんじゃないかしら。本当に苦しい部分には勉強のように背を向けて逃げていたんじゃない？　練習に対しても真摯に取り組んでいるようには思えないし。何より周囲の和を乱すような性格。私が顧問ならレギュラーにはしないわ」

「っ！」

　須藤は立ち上がると、詰め寄り堀北の胸倉を掴んだ。

「須藤くんっ！」

　オレが動くよりも早く、櫛田は立ち上がり須藤の腕を掴んだ。

堀北は須藤に凄まれても、眉ひとつ動かさず、須藤を冷めた目で見ていた。

「私はあなたには全く興味ないけれど、見ていればどんな人間かは大体わかるわ。バスケットでプロを目指す？　そんな幼稚な夢が、簡単に叶う世界だとでも思っているの？　あなたのようにすぐに投げ出すような中途半端な人間は、絶対にプロになんてなれない。もっとも、仮にプロになれたとしても、納得の行く年収が貰えるとは思えない。そんな現実味のない職業を志す時点で、あなたは愚か者よ」

「テメェ……！」

須藤は、明らかに制御が利かなくなる寸前だ。もしも拳を振り上げるようなら、オレも飛び出して須藤を抑えなければならない。

「今すぐ勉強を、いいえ、学校をやめて貰えないかしら？　そしてバスケットのプロなんてくだらない夢は捨てて、バイトでもしながら惨めに暮らすことね」

「はっ……上等だよ。やめてやるこんなもん。ただ苦労するばっかりじゃねえか。わざわざ部活を休んで来てやったのに、完全に時間の無駄だ。あばよ！」

「おかしな事を言うのね。勉強は苦労するものよ」

尚も追い打ちをかける堀北。櫛田がいなければ、もしかしたら須藤は本気で堀北に手をあげていたかも知れない。苛立ちを隠さないまま、鞄の中に教科書を詰め始めた。

「おい、いいのか？」

「構わないわ。やる気のない……ここまで勉強の出来ない人間に構うだけ無駄よ。退学がかかっているというのに。学校に対する執着心なんて、欠片もないんでしょう」

「お前みたいな友達の一人も居ない奴が、勉強会なんて変だと思ったんだ。どうせ俺たちをバカにするために呼び出したんだろ。女じゃなかったらぶん殴ってるところだぜ」

「殴る勇気がないだけでしょう？　それを性別のせいにしないで」

始まったばかりの勉強会は、既にボロボロ、崩壊していた。

「俺もやーめよ。なんか、勉強についていけないってのもあるけどさ……正直ムカつく。堀北さんは頭いいかもしれねえけど、そんな上から来られたらついてけないって」

我慢ならなかったのか、池もサジを投げた。

「退学しても構わないのなら、好きにするのね」

「ま、そこはほら、徹夜でもするし」

「面白い話ね。自分で勉強できないから、今ここに居るんじゃないの？」

「っ……」

普段ひょうきんな池までも、堀北の棘のある言葉に表情を強張らせた。そして山内までもが教科書を鞄にしまい始める。最後まで悩んでいた沖谷も流れには逆らえず席を立った。

「み、皆……本当にいいの？」

「行こうぜ、沖谷」

池は迷っている沖谷と一緒に図書館を出て行った。

この場に残ったのはオレと櫛田だけ。その櫛田すらも、もはや限界のようだった。

「……堀北さん、こんなんじゃ誰も一緒に勉強なんてしてくれないよ……？」

「確かに私が間違っていたわ。もし、今回あの人たちに勉強を教えて上手く赤点を回避できても、またすぐに同じような窮地に追い込まれる。そうなればまたこの繰り返し。そして、やがては躓く。これは実に不毛なことで、余計なことだと痛感したわ」

「それって、どういう、こと……？」

「足手まといは今のうちに脱落してもらった方がいい、ということよ」

堀北の出した結論だった。赤点組が居なくなれば教える手間もなくなり、結果クラスの平均点も上がる。そう結論付けた、ということ。

「そんなのって……ね、ねえ綾小路くん。綾小路くんからも何か言ってよ」

「堀北がそう結論付けたなら、それでいいんじゃないのか？」

「あ、綾小路くんまで、そんなこと言うの？」

「まぁ、あいつらを切り捨てたいとまでは思ってないけど、オレ自身教えられるような人間じゃないし、どうすることも出来ないからな。結局は堀北と似たようなもんだ」

「……そう。わかった」

櫛田は表情に影を落とし、鞄を持つと立ち上がった。

「私は何とかする。してみせる。こんなに早く皆と別れるなんて絶対に嫌だから」

「櫛田さん。本気でそう思っているの？」

「……いけない？　須藤くんや池くんたちを見捨てたくないって思っちゃ」

「あなたが本心からそう言ってるなら、構わないわ。でも、私にはあなたが本気で彼らを救いたいと思っているようには思えない」

「何それ。意味わかんないよ。どうして堀北さんは、そうやって敵を作るようなこと、平気で言えちゃうの？　そんなの……私、悲しいよ」

櫛田は顔を一度伏せたが、俯いているわけにもいかないと、すぐ顔を上げた。

「……じゃあね二人とも、また明日」

短く言葉を残し、櫛田までも立ち去って行く。こうして瞬く間に、オレたちは振り出しの二人に戻った。途端に図書館は静寂に包まれる。

「ご苦労だったわね。勉強会はこれで終了よ」

「そうみたいだな」

静まり返った図書館は、不気味なほどに静かだった。

「綾小路くんだけは理解してくれたわね。あなただけは、あの下らない人たちよりは幾分かまともと言うことかしら。もし勉強が必要なら、特別に教えてあげるけど？」

「遠慮しておくよ」

「帰るの？」

「須藤たちんところに行く。何となく、雑談しにだけどな」

「もうすぐ退学するかも知れない人と接して、得することなんて何もないわ」

「オレは単純に、友達と接することは嫌いじゃないんだよ」

「随分と勝手ね。友人だと言っておきながら退学していく様を傍観しているなんて。私からしてみればそれが最も残酷な話だと思う」

確かに、それは否定できない部分だろう。堀北は間違ったことを言っていない。

結局勉強って部分は、個人がどれだけ頑張れるのか、その一点にかかっている。

「オレはお前の考えを否定するつもりはない。勉強を嫌う須藤をバカにしたくなる気持ちも分からないじゃない。だけどな堀北、少しは須藤の後ろにある背景を想像することも、大切なんじゃないのか？　バスケのプロを目指すだけなら、わざわざこの学校を選ぶメリットは少ない。何故この学校を選んだのか、そこまで考えて初めて、相手の本質が見えてくるんじゃないか？」

「……興味ないわね」

オレの言葉に耳を傾けることなく、堀北はずっと、一人教科書に目を落としていた。

6

図書館を出ると、オレは櫛田の後を追う。勉強会を開くために力を尽くしてくれたお礼と謝罪をしておきたい。それにほら、可愛い子とは極力仲良くしておきたいだろ？

意気込み携帯を掴むと、アドレス帳から櫛田の名前を引っ張り出す。二度目とはいえ、女の子にかけるのは少し緊張する。二度、三度とコール音が耳に届く。

しかし、一向に出る気配がない。気づいていないのか、出るつもりがないのか。

敷地の中をあてもなく小走りで探し回っていると、学校の校舎に入っていく櫛田らしき人物の背中を見つけた。もう時刻は六時近く、部活動で残っている生徒以外はいないはずだ。まぁ、櫛田なら部活で仲の良い友達に会うって可能性もあるか。

一応追いかけて、誰かと合流していたら後日にしよう。そう思い校舎の中へ。

下駄箱から上履きを出して廊下に向かうが櫛田の姿は見えない。見失ったか？　そう思ったが、微かにカツンカツンと歩く音が響いてきた。

どうやら二階へ続く階段を上ったらしい。後を追う。足音はどんどんと上に向かっていて、三階を過ぎる。確かこの上は屋上、だよな？　昼は食事用に解放されているが、放課後は施錠されていて出られないはず。不思議に思いながらオレは階段を上った。誰かとの待ち合わせも考慮し、ちょっと気配を殺して。そして、屋上へ通じる階段の中ほどで立ち止まる。

すぐ上で人の気配がする。

そっと手すり付近から、屋上の扉が見える方へと顔を覗かせた。そこには屋上の扉をジッと見つめて立つ、櫛田の姿。他には誰の姿もない。と言うことは、待ち合わせでここに？

こんな人気のない場所での待ち合わせって言ったら……、もしかして櫛田には彼氏が居て、こっそり逢引きしている？　とすればここでジッとしていると、その彼氏と挟み撃ちにあう可能性がある。引き返すかどうか悩んでいると、櫛田が鞄をゆっくりと床に置いた。

そして――――。


「あ――――――ウザい」


あの櫛田が発したとは思えないほど、低く重い声だった。

「マジでウザい、ムカつく。死ねばいいのに……」

呪文を、呪詛の言葉を唱えるように、ぶつぶつと暴言を呟く。

「自分が可愛いと思ってお高く止まりやがって。どうせアバズレに決まってんのよ。あんたみたいな性格の女が、勉強なんて教えられるわけないっつーの」

櫛田がムカつくと言っている相手は……堀北か。

「あー最悪。ほんっと、最悪最悪最悪。堀北ウザい堀北ウザい、ほんっとウザいっ」

クラス一の人気者で、誰の世話でも焼く優しい少女のもう一つの顔を見た気がした。彼女の誰にも見られたくないであろう姿だ。ここに留まるのは危険だと脳が告げる。

しかし、ここで奇妙な疑問が生まれる。彼女に裏の顔があった、という部分はともかく、堀北に対して嫌悪感を抱いていたなら、なぜ協力を引き受けたのだろうか。櫛田なら堀北の性格や言動がどんなものかは十分に理解できていたはず。最初から手伝いを断るか、あるいは勉強会そのものは堀北に任せるとか、取れる手は幾つもあったはずなのに。

強行し、無理してまで勉強会に参加した意味は何だったのだろうか。堀北と近づき仲良くなりたかった？　あるいは参加者の誰かと親しくなりたかった？

どうもそのどれもがしっくりと来ない。ストレスを溜めてまで勉強会に参加した理由が他になければ説明がつかない。

いや……この兆候は、思いがけないほど初めのうちからあったのかも知れない。

オレ自身、そこまで深くは考えていなかったが、この櫛田の状態からして、1つのピースが当てはまった気がした。もしかして、櫛田と堀北は――――。

ともかく、今はここを離れるべきだろう。櫛田も暴言を吐いている姿を、他人に見せたくなんてないはずだ。気配を殺したまま、すぐにこの場を離れることにした。

ガンっ！

夕暮れ時の学校に、扉を蹴る音は想像以上に大きく響き渡った。思わぬ大きな音。櫛田も少しやり過ぎたと思ったのか、一瞬身を固くし息を殺した。それが仇になった。誰かに聞かれたんじゃないかと振り返った櫛田の視線の先には、僅かにオレが映りこんだ。

「……ここで……何してるの」

僅かな沈黙の後、櫛田の冷ややかな声が聞こえる。

「ちょっと、道に迷ってさ。いや、悪い悪い。オレはすぐ立ち去るよ」

嘘くさいほどの嘘をついて、櫛田の目を見つめる。見たこともない強烈な視線だった。

「聞いたの……」

「聞いてないって言ったら信じるか？」

「そうだね……」

つかつかと、櫛田が階段を降りてくる。そして、自ら左の前腕をオレの首元にあてがい、壁に押し付けた。口調も、行動も、全てオレの知る櫛田ではなかった。

今の櫛田は、堀北とは比較にならないほど恐ろしい形相をしている。

「今聞いたこと……誰かに話したら容赦しないから」

とても、脅しとは思えないほど、冷たい感情の籠った言葉。

「もし話したら？」

「今ここで、あんたにレイプされそうになったたって言いふらしてやる」

「冤罪だぞ、それ」

「大丈夫よ、冤罪じゃないから」

有無を言わせぬ迫力が、そこにはあった。

そう言うと、櫛田は今度はオレの左手首を掴み、ゆっくりと手のひらを開かせる。自らの手をオレの手の甲に添える。そして、オレの手を自らの胸元へと持っていく。

柔らかな感触が、手の平全体を通じて伝わって来る。

「……お前、何やってんだよ」

想定外の行動に、急ぎ手を引こうとするが、上から押さえつけられる。

「あんたの指紋、これでべっとりついたから。証拠もある。私は本気よ。分かった？」

「……分かった。分かったから手を離せ」

「この制服はこのまま洗わずに部屋に置いておく。裏切ったら、警察に突き出すから」

暫くの間、手を固定されたまま、櫛田に睨みつけられる。

「約束よ」

念を押すように言い、櫛田はオレから距離を取った。

人生で初めて触れた女性の胸、その感触なんてもう覚えていない。

「なあ櫛田。どっちが本当のお前なんだ？」

「……そんなこと、あんたには関係ない」

「そうだな……。ただ、今のお前を見てどうしても気になった。堀北のことが嫌いなら自分から関わる必要はないだろ」

　こんなことを聞くつもりなんてなかった。聞けば櫛田が嫌がることも分かっていたつもりだった。でも、何が櫛田をそうさせているのかが、気になったからだった。

「誰からも好かれるよう努力することが悪いこと？　それがどれだけ難しくて大変なことか、あんたに分かる？　分かるわけないよね？」

「オレは友達が少ないからな、分からないな」

　櫛田は入学初日から消極的な子に話しかけるのは勿論、連絡先を交換しては遊びにも誘っていた。それがどれだけ大変で手間のかかることかは、想像すれば誰にでも分かる。

「たとえ堀北……堀北さんのような人でも、私は表向き仲良くしていたいの」

「ストレスを抱えて、でもか」

「そうよ。それが私が望む生き方。自分の存在意義を実感することが出来るから」

　迷わず答えた。櫛田には、櫛田にしか分からない考え、ルールがある。そう言うことか。そのルールに添って、必死に堀北と仲良くなろうと試行錯誤している。

「この際だから言っておくけど、あんたみたいな暗くて地味な男、凄く嫌い」

　今までの可愛い印象を持っていた櫛田の幻想は打ち砕かれてしまったが、ショックを受けている場合じゃない。人は多かれ少なかれ本音と建前を使い分けているものだ。

　でも櫛田の答えは、本当のことでもあり、嘘でもある気がした。

「これはオレの勘だけど、お前堀北と知り合いなんじゃないのか？　この学校以前の」

そう口にした瞬間本当に僅かにだが、櫛田の肩がぴくっと反応したのを見逃さなかった。

「なにそれ……意味わかんない。堀北さんが私のこと何か言ってた？」

「いや、櫛田と同じで初対面っぽい印象は受けてる。でも、少しおかしいとも思ってる」

「……おかしい？」

オレは初めて櫛田が話しかけてきた時のことを思い出していた。

「まだ入学して間もないオレのことを、自己紹介を聞いて名前を覚えてくれたんだよな？」

それがどうかしたの、と櫛田は無表情で聞き返す。

「だったら堀北の名前はどこで知ったんだよ。あの時、あいつはまだ誰にも名前は名乗ってなかった。唯一知ってたとすれば須藤くらいだが、須藤と接点はなかったはずだ」

つまり名前を知る機会なんて無かったに等しい。

「それにオレに接近してきたのも、探りを入れるためだったんじゃないのか？」

「もういい、黙って。これ以上綾小路くんと話してるとイライラしてくるから。私が言いたいのは一つだけ。今ここで知ったことを、誰にも話さないって誓えるかどうか」

「約束する。それに、もしオレがお前のことを話しても誰も信じないさ。だろ？」

櫛田はそれだけクラスの連中に信頼されている。オレとは天と地ほどの差がある。

「……わかった。綾小路くんを信じる」

表情は崩さなかったが、櫛田は一度目を閉じた後、ゆっくりと息を吐いた。

「オレを信じられる要素なんてあるのか？」

本当に余計だ。自分でそう思っても、口に出してしまったものは仕方ない。

「堀北さんって、変わってるでしょ？」

「まあ、ものすごく変わってるな」

「誰とも関わろうとしないし、それどころか他人を遠ざけようとしてる。私とは正反対」

確かに、堀北と櫛田は、真逆に位置するかも知れない。

「そんな堀北さんが、綾小路くんにだけ心を許してる」

「ちょっと待て。そこだけは素早く訂正させてくれ。心は絶対許してない。絶対にだ」

「……かも。でも、少なくともクラスの誰よりも信頼してるはず。そんな警戒心の強い堀北さんが信頼してるってこともそうだし、何より私は、同い年の友達の中じゃ、一番沢山の人と接点を持ってきた自信がある。それこそ、くだらない人間から、信じられないくらい優しい人間までね」

「つまり人を見る目は確か、ってことか？」

「私が信じるって言った理由。綾小路くんは基本的に、他人に無関心でしょ？」

そんな素振りを見せた覚えはなかったのに、櫛田は確信を持っているようだった。

「別に不思議なことじゃないよ。バスで老人に席を譲る気配、全然なかったもん」

なるほど、そういうことか。こいつはあの状況下でオレたちのことをしっかり把握していたのだ。それこそ、席を譲る譲らないを、どう捉えているかまで。

「だから無駄に言いふらしたりしない。そう思えたから」

「そんなに自信があるなら、わざわざ胸、触らせることはなかっただろ」

「それは――さすがに、慌てたって言うか。一瞬パニックになって……」

固かった表情がちょっと崩れ、焦りに変わる。

「とりあえず、櫛田は男に平気で胸を触らせるビッチ認定ってことでよろしいか？」

直後、思い切り太ももを蹴り飛ばされた。慌てて手すりにつかまる。

「危なっ！　落ちたら怪我するぞ！」

「バカ言うからだよ！」

顔を真っ赤（羞恥ではなく怒り）にして、噛みつく勢いで怒鳴られた。

「とりあえず、ちょっと待ってて」

怒った顔のままでそう言われ、オレは小さく頷くだけだった。

階段を上がると、櫛田はすぐに鞄を持って降りて来た。満面の笑顔で。

「一緒に帰ろっか」

「あ、ああ」

悪い夢じゃないかと思うくらい櫛田の態度はがらりと豹変していた。いつもの櫛田だ。

一体どっちの櫛田が本当の櫛田なのか、今のオレには判断がつかなかった。

7

明日からDクラスはどうなっていくんだろうな。半ば他人事のように感じながら、オレは虚無的な感情でバラエティ番組を見ていた。携帯にグループチャットが飛んでくる。佐藤がグループに参加しました、という文字。確かクラスのイケイケ女子の一人だ。

『やっほー。向こうで池くんと話してたんだけど、こっちにお呼ばれしちゃいました』

オレは何を打つでもなく、ただボーっと仲間のチャットを眺める。

『今日のこと聞いたよー。堀北のヤツ、マジムカつかない？』

『今日のは俺もカチンと来た。須藤なんてマジギレだったよな。殴るかと思った』

『明日見たら、殴るかも知れねぇ。それだけ今日のはムカついた』

『あははは、殴ったりしたら大問題だってw　それはさすがにやり過ぎ』

『あのさ、相談があるんだけど。明日から徹底的に堀北を無視しない？』

『いや、いつもこっちが無視されてんじゃん（笑）』

『なんか仕返ししないと気がすまない。いっそ虐めて泣かしちゃう？　上履き隠したり』

『子供かっつーのｗｗｗ　けど、慌てる姿はちょっと見てみたいかも』

どうやら、佐藤を交えた池たちのグループチャットは、堀北の話題で持ち切りだった。

『ねえ、綾小路くんもやらない？　堀北のいぢめｗ』
『綾小路は堀北に夢中だから無理じゃね？』
『お前、俺たちと堀北、どっちの味方につくんだよ』

皆が堀北に対し、苛立ちを募らせてしまったのは仕方のないことだ。誰だってあんな対応をされたら嫌いになってしまう。ただ殴るのがやり過ぎで、無視や物を隠すことが許されるのは全く理解できない。どちらも等しく虐めでありそこには善悪の差なんてない。

『既読ついてるんだから、見てるよな？　おーい、綾小路はどっちの味方だよ』
『オレはどっちの味方もしない。お前らが堀北を虐めても、別に止めはしないよ』
『出た中立。一番ずるいパターンｗ』
『どう捉えてもいいけど、あいつに構うだけ損だぞ。それこそ虐めの問題が学校に知られたら面倒なことになる。それだけは気を付けた方がいい』
『そうやって堀北庇うパターン？ワラ』

チャットだと相手の顔が見えないから人は普段よりも強気になりやすい。もし面と向かっていたら、池もこんな風にオレには絡んで来なかっただろう。

ただ皆は堀北をエサに、そこから生まれる連帯感、安心感を感じたいだけ。

これ以上無駄なやり取りをするだけ時間の無駄だ。手っ取り早く話を終わらせるか。

『櫛田がこの話を聞いたら、お前嫌われるな。ワラ』

そう返して携帯を閉じる。すぐに着信が鳴るが放っておく。男連中はこれで迂闊なことはしないだろう。佐藤も池たちの協力なしに不用意なことはしないだろうし。

部屋の窓を少し、開ける。植えられた木々から虫の鳴き声が聞こえる。ジ――――、と鳴いているのはクビキリギスだろうか。微かに吹き付ける夜の風が、小さく窓を揺らした。

入学式の日、堀北に出会って、それが偶然同じクラス、隣の席の生徒で。気が付いたら須藤や池たちと友達になってて。おまけに学校の罠にまんまと引っかかって、どん底に叩き落とされて。それを救済すべく動いたはずの堀北は、性格が災いして孤立を深めて、今に至っては他の連中が陰湿な虐めの話で盛り上がっている。

そんな状況を誰よりも間近で見ていたはずなのに、オレはどこか浮遊感を感じていた。違うな、浮遊感は誤用だ。けして心地よい気分なんかじゃない。ただ、漠然と宙に浮いている感覚。須藤たちが退学の危機を肌で感じていないように、オレは今周囲で起こっている出来事を、まだどこかで他人事だと思っていて、ピンと来ていないんだ。

『力を持っていながら、それを使わないのは愚か者のすることだ』

思い出したくもないのに、あいつの言葉がオレの頭を過った。

「愚か者……なんだろうなぁ、オレはやっぱり」

窓を閉めると、やけにテレビから漏れる笑い声が耳障りだった。

8

何となく寝付けそうになかったオレは、身体を起こし部屋を出た。

ロビーに置かれた自販機で適当なジュースを一本購入してエレベーターの前に戻る。

「ん？」

一階にあったエレベーターが7階に止まっている。何となく気になったオレは、エレベーター内の映像が映るモニターを見た。制服姿の堀北が映っている。

「……別に隠れる必要はないんだけどな」

顔を合わせ辛いと感じたオレは、自販機の陰に身を潜めた。堀北は1階に降りて来た。

周囲を警戒しながら堀北は寮の外へと出ていく。闇に姿が消えたのを確認して、オレは後を追った。だが、寮の裏手の角を曲がりかけたところで、思わず身を隠した。

堀北の足が止まったのだ。そして、そこにはもう一つの影があった。

「鈴音。ここまで追って来るとはな」

こんな時間にどこに行くのかと思えば、男と落ち合う予定だったのか。

「もう、兄さんの知っている頃のダメな私とは違います。追いつくために来ました」

「追いつく、か」

兄さん？　暗がりで姿はよく見えないが、話し相手は堀北の兄貴なのか。

「Dクラスになったと聞いたが、３年前と何も変わらないな。ただ俺の背中を見ているだけで、お前は今もまだ自分の欠点に気づいていない。この学校を選んだのは失敗だったな」

「それは──何かの間違いです。すぐにAクラスに上がって見せます。そしたら──」

「無理だな。お前はAクラスにはたどり着けない。それどころか、クラスも崩壊するだろう。この学校はお前が考えているほど甘いところではない」

「絶対に、絶対にたどり着きます……」

「無理だと言っただろう。本当に聞き分けのない妹だ」

堀北の兄貴は、一歩距離を詰める。陰から、ゆっくりとだが姿を見せる。

それは、生徒会の会長を務めていると名乗ったあの堀北だった。

その表情には一切の感情が無く、ただ興味のない存在を見る瞳をしていた。

堀北の兄貴は無抵抗な妹の手首を掴み、強く壁に押し付けた。

「どんなにお前を避けたところで、俺の妹であることに変わりはない。お前のことが周囲に知られれば、恥をかくことになるのはこの俺だ。今すぐこの学校を去れ」

「で、出来ません……っ。私は、絶対にAクラスに上がって見せます……！」

「愚かだな、本当に。昔のように痛い目を見ておくか？」

「兄さん──私は──」

「お前には上を目指す力も資格もない。それを知れ」

堀北の身体がぐっと前に引かれ、宙に浮いた。直感的に危険だと判断する。

オレは堀北に怒られることを覚悟で物陰から飛び出すと、堀北の兄貴に迫った。

気配を悟られる前に、堀北の手首を掴む兄貴の右腕を掴みとり、動きを制限した。

「――何だ？　お前は」

掴まれた自分の腕を見た後、ゆっくりとオレへと鋭い眼光を向けた。

「あ、綾小路くん!?」

「あんた、今堀北を投げ飛ばそうとしただろ。ここはコンクリだぞ、わかってんのか。兄妹だからってやって良いことと悪いことがある」

「盗み聞きとは感心しないな」

「いいからその手を離せ」

「それはこちらのセリフだ」

オレと兄貴は睨み合い、少しの間沈黙が襲う。

「やめて、綾小路くん……」

堀北の絞り出した声。こんな状態の堀北をオレは一度も見たことがない。

渋々、ゆっくりと兄貴の腕を放した。その瞬間とてつもない速度の裏拳が、オレの顔目がけて飛んでくる。ヤバイと直感し、身体を半身にしのけぞるようにして避けた。細い身体してえげつない攻撃だ。さらに、急所を狙った鋭い蹴りが飛んできた。

「つぶね！」

当たれば、一発で意識を失ってしまうだろう威力だと分かる。堀北兄は僅かに疑問の表情を見せ、呼気を吐くと右手を真っ直ぐ、開いた状態で伸ばして来る。

掴まれれば、地面に叩きつけられる。そう直感し、左手の裏ではたくようにして流す。

「いい動きだな。立て続けに避けられるとは思わなかった。それに、俺が何をしようとしたのかも、よく理解している。何か習っていたのか？」

ようやく攻撃を止め、そう問いかけて来た。

「ピアノと書道なら。小学生の時、全国音楽コンクールで優勝したこともあるぞ」

「お前もDクラスか？　中々ユニークな男だな。鈴音」

兄貴はゆっくりとこちらに向き直った。

「堀北と違って、無能なんでね」

「鈴音、お前に友達が居たとはな。正直驚いた」

「彼は……友達なんかじゃありません。ただのクラスメイトです」

否定するように、堀北は兄を見上げる。

「相変わらず、孤高と孤独を履き違えているようだな。それからお前。綾小路、と呼ばれていたな。お前が居れば、少しは面白くなるかも知れないな」

そのままオレの横を通り過ぎ、闇へと消えていく。異彩を放つ生徒会長。あの時堀北の様子がおかしかったのは、兄貴を見つけたからだったんだろう。

「上のクラスに上がりたかったら、死にもの狂いで足掻け。それしか方法は無い」

堀北の兄貴が去り、夜の静けさに包まれた。堀北は壁際に座り込んで俯いてしまっている。余計なこと、しちまったかな。黙って寮に戻ろうとすると、堀北に呼び止められる。

「最初から、聞いていたの……？　それとも偶然？」

「いや、なんつーか、半分偶然だ。自販機でジュース買ってたら外に行くお前が見えてさ。ちょっと気になって追いかけた。ただ、立ち入るつもりはなかった、これは本当だ」

また、堀北は黙り込んでしまう。

「お前の兄さん、あれ相当強いだろ。殺気とか半端なかったし」

「空手……5段、合気道4段だから」

うへえ、そりゃ強いわけだ。引いてくれなかったら大惨事になってたぞ。

「綾小路くん、あなたも何かやってたでしょう。それもかなりの有段者」

「言っただろ？　ピアノと茶道をやってたって」

「さっきは書道って言ってたわよ」

「……書道もやってたんだ」

「テストの点数をわざと揃えたり、ピアノや書道やってるって言ったり。あなたのこと良く分からない」

「点数は偶然揃ったただけだし、ピアノや茶道、書道はマジでやってたんだって」

ここにピアノでもあれば、エリーゼのためにくらい演奏してやるところだ。

「あなたには、変なところを見られちゃったわね」

「むしろ堀北も普通の女の子なんだってわかって良かっ——何でもありません」

思い切り睨まれた。

「戻りましょう。この場を誰かに見られたら誤解を生みかねないし」

確かに。真夜中に男女が二人きりなんて、絶対に変な噂が立つ。

ましてオレと堀北は、ただでさえその関係に探りを入れられてる状態だし。

ゆっくりと立ち上がった堀北は、寮のエントランスへと歩き出す。

「あのさ……お前、本当にもう勉強会はいいのか？」

話を切り出すなら今しかないと思い、オレは思い切って声をかけてみることにした。

「どうしてそんなことを聞くの？　元々は私が開くと言った勉強会よ。億劫に感じていたあなたが気にするようなことじゃない。違う？」

「後味が悪いだろ。クラスの連中ともちょっと険悪になったと言うか」

「気にしていないもの。こんなことは慣れてるから。それに大半の赤点組は平田くんが拾い上げた。彼も勉強は出来るし、人付き合いが得意みたいだから、私と違って親身に教えてくれるはず。少なくとも今回はボーダーラインをクリアさせてくるはずよ。だけど私は赤点保持者に時間を割くだけ無駄だと判断した。卒業まで同じようにテストは繰り返される。その度に赤点を取らないようにカバーするなんて、愚の骨頂よ」

「須藤（すどう）たちは、平田から距離を置いてるぞ。勉強会に参加するとは思えない」

「それは彼らが判断することであって、私には無関係ね。それに、退学が迫れば、四の五の言ってられないでしょうし。それでも平田くんにすり寄れないなら、退学してもらうだけ。確かに私はDクラスをAクラスに引き上げることを目標にした。でも、それは私自身のためであって、誰かのためなんかじゃない。他がどうなろうと関係ないわ。むしろ、今回の中間テストで赤点組を切り捨ててしまえば、残ったのは必然的にマシな生徒だけになるでしょう？　上のクラスを目指すことも容易（たやす）くなる。願ったり叶（かな）ったりね」

堀北が間違っているとは思わない。この退学の危機はそもそも、赤点を取ってしまう生徒が悪い。だけど、オレは妙に饒舌（じょうぜつ）な堀北に対し、言葉を続けずにはいられなかった。

「堀北、その考え方は間違ってるんじゃないか？」

「間違ってる？　私のどこが間違ってると言うの。まさかクラスメイトを見捨てる人間に未来はない、なんて寝言を言うわけじゃないわよね？」

「安心しろ。お前にそんな言葉が通じないことくらい、もう十分理解してる」

「じゃあ何故（なぜ）？　赤点組を救うメリットなんて、何もありはしないわ」

「確かにメリットは少ないかもな。だが、デメリットを防ぐことは出来る」

「……デメリット？」

「学校側が、お前の考えに辿り着かないとでも思ってるのか？　遅刻や授業中の手遊び一つでマイナスポイントを付ける連中だぞ。クラスから安易に退学者を出してみろ。一体どれくらいのマイナスが付けられると思う」

「それは――――」

「もちろん、情報が開示されていない以上、根拠はない。でも、十分に可能性はあると思わないか？　100か？　1000か？　あるいは1万10万なんてマイナスの可能性もある。そうなればお前のAクラスへの到達は困難になるだろうな」

「遅刻や私語等のマイナスは、0以下にはならないわ。0の状態である今こそ、勉強の出来ない生徒を排除した方がいい。ほぼダメージは無いのと同じじゃない」

「そうである保証はどこにもないだろ。見えないマイナスが残ってる可能性は十分ある。そんな危険なリスクを放置しても良いと本気で思うのか？　つか……頭の良いお前が、その考えに辿り着いてないわけないよな。そうじゃなきゃ、そもそもお前が勉強会を開くと言いだすはずがない。赤点組なんて最初から見捨てておきゃよかったんだし」

　オレは少し高揚と言うか、気持ちが高ぶっているのをどこかで感じていた。多分それは、こいつのことを友達だと、勝手に思い込んでいるからかも知れない。だからこそ安易な決断をして後悔してほしくないと、そう思っているんだ。

「よしんば見えないマイナスがあるとしても、赤点組を切り捨てた方が、将来的にクラスのためになる。これから先ポイントが増えてきた時、彼らを切り捨てなかったことを後悔するのは嫌でしょう？　今このタイミングで、リスクを取っておくべきよ」

「本当にそう思うのか？」

「ええ、本当よ。必死に彼らを救おうとするあなたの考え、理解に苦しむわ」

エントランスから、エレベーターに乗り込もうとした堀北の手首を、オレは掴んだ。

「なに？　まだ反論があるの？　この問題は、私たち二人で解決できることじゃない。結局答えを知っているのは学校側だけなのだから、押し問答になるだけよ。あなたが好きに解釈していいように、私も好きに解釈をする。それだけのことでしょう？」

「随分と饒舌だよな。こんなに喋るヤツだとは思わなかった」

「それは……あなたがしつこいからよ」

普段の堀北であれば、オレの制止なんて絶対に聞き入れないだろう。

こんな風に強引に引き留めでもしたら、鋭い一撃を見舞われてもおかしくない。でもそれをしないということは、堀北自身、このままじゃいけないと感じている証拠だ。だから手を振り払わない。もちろん、本人にその自覚は無いかも知れないが。

「オレと堀北が出会った日。バスでの出来事のことは、覚えてるか？」

「老人に席を譲らなかった時のことよね、それは」

「ああ。あの時、オレは老人に席を譲ることの意味を考えてた。席を譲る、譲らない。どちらが正しい答えなのか」

「最初に言ったはずよ。私は意味がないと思ったから譲らなかった。老人に報いたところで、何のメリットもないし、ただ労力と時間を浪費するだけ」

「メリット、か。お前はあくまでも損得で行動をするってことだよな」

「いけない？　人は多かれ少なかれ、打算的な生き物よ。商品を売ればお金を貰うし、恩を売れば恩で返してもらう。席を譲ることで社会貢献という愉悦を得る。違う？」

「いいや、間違っちゃいないさ。それが人間だと、オレもそう思う」

「だったら——」

「お前がその信念を持ち続けているのなら、ちゃんと物事を、視野を広く見ろ。今のお前は怒りと不満で、何にも前が見えちゃいない」

「何様のつもり？　あなたに、私をとやかく言うだけの実力があるとでも？」

「オレの実力がどうであれ、お前には見えちゃいないことが、一つだけオレには見える。それは堀北鈴音という、一見完璧そうに見える人間の欠点だ」

堀北は鼻で笑う。自分に欠点があるのなら、言ってみろと言わんばかりだ。

「お前の欠点を教えてやるよ。それはお前が、他人を足手まといだと決めつけ、最初から寄せ付けず突き放してることだ。相手を見下すその考え方こそ、お前がＤクラスに落とされた決定打なんじゃないのか？」

「……それじゃまるで、須藤くんたちが私と対等だと言いたげね」

「なら、お前にあいつらが対等じゃないと言い切れるのか？」

「そんなの、テストの点数を見れば一目瞭然よ。それこそがクラスのお荷物である証拠」

「確かに勉強って意味じゃ、須藤たちは堀北に二歩も三歩も遅れをとってる。猛勉強したところで、お前を抜くことは難しいだろうさ。けど、それはあくまでも机の上での話だろ。学校側が見ているのは、知識面だけじゃない。もしも今回、学校側の試験がスポーツ関連だったら、こんな結果にはならなかった。違うか？」

「それは――――」

「堀北も運動は出来る。水泳を見た限り女子でも上位だ。立派だよ。でも、須藤の身体能力だって、秀でたものがあるのは一緒にいたお前も分かってるはずだ。池だって、お前にはないコミュニケーション能力を持ってる。今回が対話をベースとした試験だったなら、お前池はきっと役に立った。逆にお前はクラスの足を引っ張ったかも知れない。じゃあ、お前は無能になるのか？　違うだろ。人にはそれぞれ、得意不得意がある。それが人間だ」

　堀北は反撃しようとしたが、のど元まで出かかった言葉が呟かれることはなかった。

「……根拠に乏しいわ。あなたの話は、全て机上の空論に過ぎない」

「根拠がないのなら、今ある材料で結果を予測する必要がある。なら、茶柱先生が言った言葉をよく思い返してみろよ。指導室に呼ばれた時、茶柱先生はこう言ったはずだ。『学力に優れた者が優秀なクラスに入れると誰が決めた』と。ここから導き出される結果は、学力以外にも求められているものがある、と言うことだ」

右へ、左へと論理を展開し逃げようとする堀北を、オレもまた後を追い、先に回り込むようにして抑え込む。そうしなきゃあっさりと逃げ切られてしまう。

「お前は赤点組を切り捨てた方が後悔しないと言ったが、逆も然りだ。須藤たちを失って後悔する日が来ることだって、十分にある」

堀北と、目と目が合う。今現実に手を握っているだけじゃなく、意識間で繋がった。オレはその手ごたえを感じ取る。

「あなたこそ随分と饒舌ね。とても事なかれ主義の発言とは思えないわ」

「かもな」

「あなたの話、悔しいけれど概ね正しいわ。そう思わせるだけの説得力があった。その点は認める。でも、まだ腑に落ちないのも確かよ。それは、あなたの真意。あなたにとってこの学校は何なの？　何のためにそんなに必死になって私を説得するの？」

「……なるほど、そう来たか」

「人を説く以上、説く人物に説得力が無ければ、ずる賢い理論も破たんする」

オレが必死になって堀北を説得し、須藤たちを退学させまいと動く理由を求めている。

「今までの建前は抜きにして、その理由が知りたいの。ポイントのため？　ひとつでも上のクラスに上がるため？　それとも、ただ友達を救うため？」

「知りたいからだ。本当の実力って奴が何なのか。平等ってのが、何なのかを」

「実力と、平等……」

「オレはその答えを探すために、この学校に来た」

　頭の中では上手くまとまっていなかったのに、するりと口から零れ出た言葉だった。

「手、離してもらえる？」

「ああ、悪い」

　少し力の籠っていた手を離すと、堀北はくるりと振り返りオレの正面に立った。

「まさか、綾小路くんに言いくるめられるなんてね」

　そう言って、堀北はオレに向かって手を差し伸べてきた。

「私は私自身のために須藤くんたちの面倒を見る。彼らを残すことでこれから先有利に運ぶことに期待しての打算的な考え。それでもいい？」

「安心しろ。お前がそれ以外で動くとは思ってない。その方が堀北らしいし」

「契約成立ね」

　オレは堀北の手を取った。

　もっとも、この契約が悪魔との契約だと知るのは、後日のことだった。

○再結集・赤点組

新茶の香り漂う季節となりました、ますますご清栄のこととお喜び申し上げます。

高等学校に入学し、早1か月と半。オレは程ほど無難に日々を送っております。

「ちょっと、人の話を聞いているの？　頭は大丈夫？」

堀北(ほりきた)は失礼にも人の額に手のひらを当てて、その後自分の額に持っていく。

「熱はないようね」

「ねえよ！　ちょっと長い回想に入ってたんだ」

ここに至るまでの過程を思い出し、深い深いため息をついた。オレは堀北に協力すると答えてしまった。後悔先に立たず、という状態だ。

あの時は堀北を奮い立たせるためでもあったが、改めて考えると実にオレらしくない。

「それで軍師殿。オレはどうすればよろしいのでしょうかねぇ」

「そうね……当然、もう一度須藤(すどう)くんたちを説得して勉強会に参加してもらう必要がある。そのためには、あなたが地に額を擦りつけてお願いするしかないわね」

「何でそうなるんだよ……。そもそもは、お前が須藤たちと揉(も)めたのが原因だろ」

「彼らが真面目に勉強に取り組まないことが原因よ。焦点を間違えないで」

コイツは……。本当に須藤たちを助けるつもりがあるんだろうな……？

「櫛田の力なしに須藤たちをもう一度集めることは不可能だ。堀北もわかってるだろ？」

「……わかっているわ。背に腹は代えられないもの」

どんだけ櫛田が関わることが嫌なんだよ。堀北は非常に不満そうだったが、承諾した。

櫛田が近づくことを良しとしなかった堀北の、精一杯の歩み寄りと捉えておこう。

「早速だけど櫛田さんの件、協力して貰える？」

「オレがか？」

「当たり前じゃない。あなたは私と契約したんだから。Aクラスに上がるまで馬車馬のごとく私の命令に従い働き続けるって」

そんな契約をした覚えはこれっぽっちもない。

「ほら、ここに契約書も」

わぁホントだ。オレの名前が書かれてあるし、印鑑まで押されてるぅ。

「文書偽造の罪に問われるぞコラ」

ベリベリとその場で破り捨てた。堀北は、机の上を片付けている櫛田の元に向かった。

「櫛田さん。話したいことがあるの。良かったらお昼付き合って貰えないかしら」

「お昼？　堀北さんからのお誘いなんて珍しいね。うん、いいよっ」

もう一つの姿を見られたオレが傍に居ても、櫛田はいつものようにブレない。二つ返事で承諾する。そんな櫛田と向かったのは、学校でも随一の人気を誇るカフェパレット。

前回は、オレと櫛田が嘘をついて呼びだし、堀北に怒られてしまった場所だ。

堀北が奢ると言い、櫛田の分のドリンクを注文した。もちろんオレの分は自腹だ。

笑顔でドリンクを受け取り、席に座る櫛田。オレたちも、櫛田の前に二人で座った。

「ありがとう。それで、私に話って何かな？」

「須藤くんたちに赤点を取らせないための勉強会。もう一度協力して貰えないかしら」

「それって、誰のためなのかな？　須藤くんたちのため？」

櫛田も、正面から頼み込んできた堀北の言葉を、ただの善意とは受け取らなかった。

「いいえ。私自身のためよ」

「そっか。堀北さんは、やっぱり堀北さんなんだね」

「あなたの友達のために頑張らない人間とは、手を組めない？」

「堀北さんがどんな考え方を持っていても私は自由だと思うよ。だけど下手な嘘はついてほしくなかったから、素直に答えてくれたのは嬉しかったかも。分かった、協力してあげてもいいよ。だって私たち同じクラスメイトじゃない、ね？　綾小路くん」

「お、おう。助かるよ」

「堀北さんに聞きたいんだけどね？　堀北さんは友達のためでもなく、ポイントのためでもなく、Aクラスに上がるために協力してくれてるんだよね？」

「そうよ」

「それ、信じられないって言うか……無理じゃない？　あ、別に堀北さんをバカにしてるわけじゃないんだよ？　ただなんて言うか……クラスの皆も大半は諦めてるって言うか」

「現状のAクラスと、ポイントの差が酷いからか？」

「うん……正直、追いつける気なんてしないよね。来月もポイントがもらえるかどうか怪しいしさ。意気消沈って感じ」

だるーんとテーブルに上半身を倒す。

「私はやるわ、絶対に」

「綾小路くんも、Aクラスを目指してるの？」

「そうよ。私の助手として共にAクラスを目指してるの」

勝手に助手にするな。

「ん……わかった。私も堀北さんの仲間に入れてよ」

「もちろんんよ、だから勉強会を手伝ってほしいとお願いしているわけだし」

「そうじゃなくって、Aクラスを目指す活動の仲間に入れて欲しいの。勉強会以外にも、これから沢山のことをやっていくってことでしょ？」

「え、ええ。そうだけど……」

「それとも、私は仲間に入れたくない？」

堀北の表情を窺うように、櫛田はじーっと大きな瞳を向けた。

「分かった。今回の勉強会が上手くいったら正式に協力を要請するわ」

そう堀北は答えた。櫛田の存在には思うところもあるのだろうが、それでも堀北が認めざるを得なかったのは、自分にはない人徳を持っていると理解してのことだろう。

堅物の堀北から承諾を得られた櫛田は、上半身を勢いよく起こした。

「ほんと!? やったっ！」

心底嬉しそうにその場で万歳して素直に喜びを表現する。そんな姿もいちいち可愛い。

「改めてよろしくね、堀北さん！ 綾小路くん！」

左右の手を同時にオレたちに伸ばしてきた。

少し戸惑いながらも、オレと堀北は櫛田の手を取り握手した。

「あとは、須藤くんたちが素直に応じてくれるかどうかが問題ね」

「そうだな。現状だとちょっと難しいかもな」

「じゃあさ、もう一度私に任せて貰えないかな？ 仲間に入れて貰うんだもん、これくらいはやらせてよ。ね？」

堀北も櫛田のマイペースな展開に巻き込まれ、ちょっと気圧されていた。

櫛田はすぐにでも行動するつもりなのか、携帯電話を手に取った。程なくして、櫛田に誘われ有頂天気分の池と山内がやって来た。が、堀北とオレの顔を見るなり、オレの方に目線だけで『もしかしてチャットのことを話したのか⁉』と訴えて来た。好都合なので黙っておこう。二人の罪悪感が、この場ではむしろ有効に作用するかも知れない。

「呼び出してごめんね二人とも。私からと言うか、堀北さんから話があるんだって」

「ななな、なにかな？　俺たち、なんかした⁉」

過剰に反応しすぎだ……。ビビりまくっていて、腰が引けている。

「二人は平田くんの勉強会には参加する予定はないの？」

「え？　べ、勉強会？　いや、だって勉強とかだるいし、平田モテ過ぎでムカつくし……。テスト前日に詰め込んだら何とかなるかなって。中学だってそれで乗り切って来たし」

池の言葉に、山内も二度、三度と頷いた。一夜漬けで乗り切る算段らしい。

「あなたたちらしい考え方ね。けれど、このままじゃ退学になる可能性は高いわ」

「相変わらず何様なんだよ、お前は」

須藤が堀北を睨みつけながら現れた。どうやら須藤も櫛田の甘い罠にかかったらしい。

「一番心配なのはあなたよ須藤くん。退学に対する危機感が無さすぎる」

「テメェの知ったことかよ。いい加減ぶっ飛ばすぞ。俺は今バスケで忙しいんだよ。勉強なんてテスト前にやりゃ十分だっつの」

「お、落ち着けって須藤。な？」

池はチャットのことを知られたくないのか、須藤を宥めた。

「ねえ須藤くん。もう一度一緒に勉強しないかな？　一夜漬けでも乗り切ることが出来るかも知れない。だけど、ダメだったら、大好きなバスケットも出来なくなるよ？」

「それは……けどな、俺はこの女の施しみたいな真似受けるつもりはねえよ。この間俺に吐き捨てた言葉は忘れちゃいない。誘うなら謝罪が先だ。誠心誠意のな」

堀北に対しては敵意しか見せない須藤は、そう言い切った。自分自身、勉強しなければ危ないと感じていながらも、バスケを侮辱されたことは許せないようだ。

それに対し堀北は、もちろん謝罪を簡単に口にはしない。何故なら、自分自身が間違ったことを口にする人間ではないと自負しているからだ。

「私はあなたが嫌いよ須藤くん」

「なっ⁉」

謝罪どころか、火に油を注ぐように、須藤に対しキツイ言葉を浴びせる。

「けれど今、お互いを毛嫌いしていることは些細なことじゃないかしら。私は私のために勉強を教える。あなたはあなたのために勉強を頑張ればいい。違う？」

「そんなにAクラスに行きたいのかよ。嫌いな俺を誘ってまで」

「ええそうよ。そうでなければ、誰が好き好んであなたたちに関わると？」

歯に衣着せぬ堀北の一言一言に、露骨に須藤は苛立ちを募らせていく。

「俺はバスケに忙しいンだよ。テスト期間でも、他の連中は練習を休む気配はねえ。面白くもねえ勉強してる間に、遅れを取るわけにはいかねーんだよ」

堀北はあらかじめ、須藤がそんなことを言うだろうと予見していたかのように、一冊のノートを取り出すと、それを開いて見せる。そこにはテストまでのスケジュールが細かに記載されていた。

「この間の勉強会で、あのスタイルの勉強方法はダメだと気が付いたの。あなたたちは学業の基礎が出来ていない。例えるなら大海に放り出された一匹の蛙。どこを目指して泳げばいいのかすら分からない状態にある。それに須藤くんが言うように、趣味に充てる時間を削ることがストレスになってることも理解したつもり。そこで、その問題を解決する策を思いついたの」

「どんな魔法だよそりゃ。あるんなら教えて貰いたいぜ」

テスト勉強と部活動を両立させる。そんな方法があるはずない、と須藤が鼻で笑う。

「今から2週間。あなたたちは平日の授業を、死ぬ気で勉強しなさい」

一瞬、堀北が何を言っているのか分からなかった。それは他の全員も同じだ。

「普段、3人は授業中真面目に取り組んでなんていないわよね?」

「決めつけないでもらいたいね」

池が反論する。

「じゃあ、真面目に取り組んでいるの?」

「……取り組んでない。授業が終わるのをボーっと待ってる」

「でしょうね。つまりあなたたちは1日に、6時間無駄な時間を過ごしていると言うことよ。わざわざ放課後に1、2時間確保して勉強するよりも、遥かに膨大で貴重な時間をロスしているということ。これを有効活用しない手はない」

「確かに……理論的にはそういうことにはなるけど……それは無茶じゃないかな？」

櫛田の不安は当たっている。普段勉強できないからこそ、時間を無駄にしているのだ。授業中はお喋りするわけにもいかず、一人で問題を理解しきれるとは到底思えない。

「授業の内容なんて、全くついていけてねぇよ」

「そんなことわかっているわ。だから、更に休み時間を利用して、短い勉強会を開くの」

そう言って堀北は次のページをめくった。そしてどういう仕組みかを書き綴っていく。

要約するとこうだ。1時間の授業が終わったら、すぐに全員で集合し、授業で分からなかった部分を報告する。そして10分の休憩の間に、堀北がそれに対する答えを教える。

そしてまた次の授業へ、という流れだ。もちろん、これはそう簡単な話じゃない。

授業についていけてない須藤たちが、短い時間で学習できる保証はどこにもないのだ。

「ま、待てよ。なんか頭が混乱してきた。本当に上手くいくのかよ」

池たちも、それが大変なことだとすぐに気づく。

「そうだよ、10分の休憩じゃ、分からなかった部分の解説とか無理じゃない？」

「心配ないわ。私がその授業中、全ての問題に対して分かりやすく解答をまとめておくから。それを綾小路くんと櫛田さん、私の３人がそれぞれマンツーマンで教えればいい」

　それなら、確かに10分と言う時間を無駄なく消化することは可能だ。

「二人とも、答えの解説をするくらいなら出来るでしょう?」

「けどよぅ……間に合うとは思えねえよ。高校の勉強難しいしさ。わけわかめだし」

「1時間で学ぶ授業の内容は、意外と少ないものよ。ノートにして1ページ、精々２ページね。そこからテストに関係のありそうなものだけに絞り込めば、半ページ分の知識を詰め込むだけで済む。どうしても時間が不足する場合にだけ、昼休みを利用する。私は問題を理解してとは言わない。頭にそのまま叩き込んで欲しいだけ。大切なのは授業の時は先生の声、黒板に書きだされる文字だけに集中すること。ノートを取る作業は一旦忘れて」

「ノートを取らない、ってことかよ」

「書きながら問題や答えを覚えるのは案外難しいものよ」

　確かに、それはあるかも知れない。ノートを取る作業に集中してしまい、単に書き写すことだけで貴重な時間を浪費してしまう。

　何にせよ、堀北は放課後の時間を利用して勉強するつもりはないようだった。

「物は試し。否定する前に実践してみればいいのよ」

「……やる気になんねぇな。時間かけてやったところで、俺はお前みたいなガリ勉とは違うからよ。そんな簡単な、裏ワザみたく勉強ができるようになるとは思えねえ」

堀北なりに、3人に配慮して考えたプランだったが、須藤は首を縦には振らなかった。

「根本的なことを勘違いしているみたいね。勉強に近道や裏技があるとでも？　地道に時間をかけて覚えていくしかない。それは勉強だけじゃなくて、他のことでもすべて一緒なんじゃないかしら。それともあなたが情熱を注ぐバスケットには近道や裏技があるの？」

「んなもんあるわけねえだろ。何度も何度も練習して、初めて上手くなんだよ」

須藤は自分で口にしておいて、ハッとしたように息を呑んだ。

「集中力、真剣に取り組む力がない人には絶対に無理。でも、あなたはバスケットのためになら全力を出せる人よ。その力を少しでいいから、今回勉強に回して欲しい。あなたがこの学校でバスケットを続けていくために。自分自身の可能性を捨てないために」

それは微かにだったが、間違いなく堀北から須藤への歩み寄りだった。須藤が逡巡する。だが、それを小さなプライドが邪魔をする。どうしてもやると口にできなかったようだ。

「……やっぱり俺は参加しねえ。堀北に従うってのが、納得いかねーんだよ」

須藤はそのまま、席に着くこともなく立ち去ろうとした。堀北はそれを止めない。

この機会を逃せば、もう二度とは一緒に勉強をする機会は得られないだろう。普段なら何もしないところだが、ここはひと肌脱ぐしかないか。

「なぁ櫛田。もう彼氏は出来たのか？」

「え？　えっ？　まだいないよ、って言うかいきなりなに!?」

「もし、オレが50点取ったら、デートしてくれっ」

オレはしゅばっと手を差し出す。

「は!?　おま、何言ってんだよ綾小路！　俺とデートしてくれ！　51点取るし！」

「いやいや俺だ！　俺とデートを！　52点取って見せるから！」

いち早く反応したのは、池だ。そして山内。櫛田はオレの真意にすぐに気づく。

「こ、困ったな……。私、テストの点数なんかで人を判断しないよ？」

「でも頑張ったご褒美は欲しいし。池や山内も、乗り気みたいだしさ。勉強会のご褒美みたいなもんがあれば、やる気が出るっていうか」

「じゃ、じゃあこうしない？　テストで一番点数の良かった人と、その、デートするってことでいいなら……。私、嫌いなことにも頑張って努力できる人は、好きだな」

「うおおおおおおおお！　やる！　やるやる！　やります！」

別に釣れなくてもいい池たちが、鼻息荒く叫ぶ。オレは須藤に声をかけることにした。

「なあ須藤。お前はどうする？　これはチャンスかも知れないぞ」

それは、櫛田とデートしたいだろ？　と言う意味とは少し違う。

須藤の性格は大よそ掴んだつもりだ。こういう時、素直に参加させてくれって言いにくいことくらいは、何となく予想できる。だったら、こっちから落としどころを見つけてやらなければならない。

「……デートか。悪くねえ。ったく、仕方ねえな……俺も参加してやる」

須藤(すどう)は振り返らず、そう小さく答えた。櫛田(くしだ)はホッと胸を撫(な)で下ろす。

「覚えておくわ、男子は想像以上に単純でくだらない生き物だと言うことを」

堀北(ほりきた)もそれを感じ取ったのか、あえてそう答えることで、須藤を自然に迎え入れた。

1

再結成した勉強会が始まり、何だかんだ順調に回り始めていた。

もちろん誰一人、勉強することの楽しさに目覚めたり、喜びを感じたりはしていないが、退学しないため、そして築きつつある仲間との日々を守るため、嫌いな勉強に立ち向かい続けていた。三バカトリオは似合わないと感じつつも、必死に黒板に書きだされた問題を繰り返し見て、そして理解しようと何度も首を捻(ひね)る。須藤に至っては、時折意識が朦朧(もうろう)としているのか、首がカクンカクンと前後するが、それでもギリギリで踏みとどまっているのは、やはり自らの目標、バスケのプロ選手を目指すためだろう。人が聞けば笑ってしまいそうな無謀な夢を、ひたむきに追いかける。中学から上がったばかりのオレたち多くの一年生には、まだ夢らしい夢はない。ただ漠然と、将来何かになれればいい、生活に困らなければ、としか考えていない人間の方が多い。だから、夢のためにひたむきに練習に取り組める須藤は立派な人間だ。

それにしても、この学校は、何をもって実力の定義を定めているのだろうか。

少なくとも、学力だけで生徒の合否を決めているわけじゃない。

それはオレが入学できたことや、池、須藤たちを見ていても間違いはないだろう。

勉強以外の、様々な生徒の才能を見越して入学させたとすれば、赤点を一度でも取れば退学という制度は絶対にあり得ない。少なくともオレはそう考える。

制度そのものが嘘でないとすれば、導き出される答えはそう多くない。

池であれ須藤であれ、必ず乗り越えられるように問題が設定されているのではないか。

そんな疑問が浮かび上がってくる。けどなぁ、そう単純なことでもなさそうなんだよな。

今やってる授業も小テストも、須藤たちからすれば十分にレベルの高い問題だ。

午前の授業の終わり、堀北は満足そうに一人、小さく一度頷いてノートを見下ろした。

どうやら自分なりに上手く、まとめあげることが出来たらしい。

堀北からしてみれば教える相手が三バカであっても、極力高い点を取らせたいに違いない。その方がクラスとして評価もされるし、生徒個人の能力も上がるのだから、当然だ。

でも、オレは満点を取らせるなんて無茶、はなから狙うつもりはない。池に教えられるのは赤点を越えるための方法、ただそれだけだ。

昼のチャイムが鳴ると同時に、池たちは一目散に食堂へと駆けて行った。昼休みは全部で45分。昼食の後、全員が図書館に集合して20分間勉強をする約束になっている。移動の手間も考え、最初は教室でやる案が出ていたが、集中力を高めるために、騒がしい教室を避け、図書館を利用する方針で決まっていた。

もっとも、本当のところは堀北が平田を避けたからだとオレは見ている。平田たちのグループは、昼に放課後に向けての勉強法を話し合ったりしている。その傍でオレたちが復習していたら、声をかけてくる可能性は低くない。堀北はそれを嫌ったんじゃないだろうか。

「堀北、昼飯どうする？」

「そうね――」

「綾小路く～ん。お昼、一緒に食べよ？　今日は予定空けてきたんだ」

ぴょこっと姿を見せたのは、櫛田。

「あぁ、そうだな。じゃあ櫛田も一緒に――」

「それじゃ。私は予定があるから、これで失礼するわ」

スッと立ち上がると、堀北は一人で教室を出て行ってしまう。

「ごめんね綾小路くん。その、もしかして私……お邪魔だった？」

「いや、そんなことはないけど」

櫛田は堀北の背中を見つめながら、ばいば～い、と小さく手を振った。

ひょっとして確信犯か？　どうもあの日、櫛田の秘密を目撃してしまってから、櫛田がオレへと接触してくる機会が露骨に増えた気がする。信用していると口では言っていたけど、誰かに告げ口するんじゃないかと疑っているのかもな。

結局、櫛田とオレはカフェで食事をとることにした。二人で一緒にカフェまでやって来ると、オレは圧倒的な女子力の前に気圧(けお)された。

「なんだこれ、凄(すご)い数の女子だな……」

カフェに居る客層の8割以上は女子だ。

「男子が食べるご飯、って感じじゃないしね」

メニューはパスタやパンケーキなど、まさに女の子が好きそうなメニューばかりで、体育系の須藤(すどう)なら全然量が足りないとか言いだすだろう。僅(わず)かな男子も、リア充系とでも言おうか、チャライ男ばかり。大体彼女と二人きりだったり、数人の女子に囲まれている。

「やっぱり学食にしないか？　なんか居心地(いごこち)悪いって言うか」

「慣れれば平気だよ。高円寺(こうえんじ)くんなんて毎日のように来てるみたいだよ？　ほら、あそこ」

そう言って櫛田が指さした奥の多人数用のテーブル席。そこには女子に囲まれる高円寺の姿があった。いつものように堂々とした態度だ。

昼間姿を見かけないと思っていたら、こんなところに出入りしていたのか。

「モテモテみたいだね。周りは、三年生の女子だよ」

櫛田も驚いている。何となく耳をすまして高円寺と先輩たちの会話を拾ってみる。

「高円寺くん、はい、あーん」

「はっはー！　やはり女性は年上に限るねぇ～」

三年生相手に全く臆することなく、むしろ肌を密着させるようにして食事していた。

「あいつ、ほんと凄いヤツだな……」

「あちこちに言いふらしてるみたいだよ。高円寺の名前」

なるほど、取り巻きの女子たちはお金目当てってことか。

「嫌な世の中だな」

「女の子は現実主義者だから。夢だけじゃ食べていけないんだよ」

「櫛田もか？」

「私は、ちょっとくらいは夢見たいかな。白馬の王子様みたいな」

「白馬の王子様ねぇ」

出来る限り高円寺から距離を取れる二人掛けの席を確保する。

「綾小路くんは？　やっぱり堀北さんみたいな子が好き？」

「なんで堀北が出てくるんだよ」

「いつも一緒だから。それに可愛いじゃない」

　まぁ、確かに堀北は可愛いと思うけど。外見だけは。

「知ってる？　綾小路くん、実はちょっと女子から注目されてるんだよ？　1年生の女子が作ったランキングにも載ってるし」

「注目。オレが？　それに一体なんのランキングだ……」

　気付かない間に、オレたち男子は格付けされていたらしい。

　前に男子が胸の大きさでランキングやってたのと、同じようなことだろうか。

「ランキングの種類はいっぱいあるよ？　イケメンランキングでしょ？　お金持ちランキングでしょ？　気持ち悪いランキングでしょ？　それから――」

「……もういい。なんか聞きたくなってきた」

「大丈夫だよ。綾小路くんはイケメンランキングで見事5位につけてるね。おめでとう！ちなみに1位はAクラスの里中くんって人。2位が平田くんで、3、4位はAクラスの男子だね。平田くんは外見と性格で大きくポイントを稼いでる感じ」

　さすがはDクラス期待の星。C以上の女子からも注目されているらしい。

「それ、オレは喜んでいいのか？」

「もちろん。あ、ただ根暗そうランキングでも上位に入ってるけど」

「左様で……」

　携帯を向けられる。そこには無数の男子を格付けしたランキングがあるようだった。

中には死んで欲しい男子ランキングなんて物騒な文字も。見なかったことにしよう。

「あんまり嬉しそうじゃない？　5位なのに」

「モテてる実感があれば別だけど、そんなものは何にも感じない」

事実、靴箱にハートのシールが貼られた手紙の一通も貰った覚えはない。

「それ、全員参加ってわけじゃないだろ？」

「うん。結構な人数が参加してるっぽいけど、票数とかは分からないようになってるし。コメントしてる人たちも全部匿名だからね～」

つまり分からないことだらけで、あてにはならないってことだ。

「多分さ、綾小路くんは損してるんだよ。私から見ても十分イケメンだと思うけど、平田くんみたいな華は無いって言うか、目立つところが無いから。頭が良いだとか、運動神経が抜群だとか、凄く話し上手だとか、そう言う魅力的な部分が欠けてる感じ？」

「それ、結構心に突き刺さるんですけど……」

つまり人間として中身の魅力は全く無い、と言うことになる。

「ご、ごめん。ちょっと遠慮して言えば良かったかも」

さすがに言い過ぎだと思ったのか、反省する櫛田。

「えと、綾小路くんは中学校の時、彼女とか居なかったの？」

「居なくて悪いか」

「……居なかったんだ。あはは、別に悪くはないけどさ」

「ランキングねえ。男子がそれやったら、女子はなんて思うやら」

「サイテー扱いすると思うよ？」

にっこり笑うが、目が笑っていない。うん、まぁそうだよな。裏で可愛い女子や不細工な女子を格付けしてたら、猛抗議を受けるに違いない。ここにも一つ、男女間での差別が芽吹いている。それにしても、櫛田は本当に以前と変わらない様子でオレに接してくる。

あれだけの内面を見せている以上、思うところだって少なからずあるはずなのに。

「なあ。もし嫌々オレと接してるなら無理しなくていいぞ」

「やだなぁ、嫌々なんて思ってないよ。私、綾小路くんと話してると楽しいし」

「それ、本人に嫌いって言っといて言うか？」

「あははは、そうかもね。ごめんごめん、でもあれは本心だから」

……いや、本心だから傷つくんですけど。こんな笑顔なのに嫌われてるとか。最悪だ。

「実は今日お昼誘ったのもさ、ちょっと綾小路くんに確認がしたかったんだよね。これは仮にの話だけど、私と堀北さん、どっちかの味方につくとしたら、綾小路くんはどっちを選ぶのかな？　私を選んでくれる？」

「オレは誰の味方でも敵でもない。中立だ」

「世の中都合よく中立を通せるほど単純じゃないことだってあると思うよ。戦争反対を掲げるのは立派なことだけど、いつ渦中に巻き込まれるかわかったものじゃないでしょ？　もしも私と堀北さんが対立したとき、綾小路くんが協力してくれたら頼もしいな」

「そう言われてもな……」

「何となく、覚えておいてね。私が綾小路くんに期待してるってこと」

「期待、ね。協力を要請するなら、まずは事情を説明することが先決だと思うけどな」

終始櫛田は笑顔を崩さないまま、それでもそこは強い意志で首を横に振り拒否した。

「まずはお互いに信頼できる関係を作らなきゃね」

「そうだな」

オレも櫛田も、まだ互いのことをよく理解していないのが本音だ。

これから先信頼関係が築けたとき、もう一歩深く、櫛田のことを知るのかも知れない。

2

約束の時間から、1分ほど遅れてオレたちは図書館へと着いた。

既に全員スタンバイしてノートを開いて待機していた。オレたちだけじゃなく、図書館では大勢の生徒たちが勉強に励んでいる様子だった。1年～3年まで、区別なく全員が進退を掛けた戦いを強いられている。それが一目で分かる光景だった。

「遅いわよ」

「悪い、ちょっと店が混んでて時間がかかった」

「まさか2人で飯食ってたんじゃないだろうなぁ？」

2人同時にやって来たことを怪しんだ池が、疑いの目を向けて来た。

実際2人で食ってたわけだが、ここは余計なことを言わない方がいいか。

「うんそうだよ。2人でランチしてたの」

それは言わなくていい話だろう。案の定池たちは露骨に不満そうな顔をして、オレを睨みつけて来た。まるで親の仇を見るようだ。堀北はこちらに目もくれることなく、一言。

「早くして」

「……はい」

堀北に冷たくあしらわれ、オレは静かに着席してノートを取り出した。

「授業受けて思ったんだけどさ、地理って結構簡単だよな」

「化学も思ったほど難しくない」

池と山内がそんなことを言う。

「基本的には暗記問題が多いからじゃないかな？　英語や数学は基礎が出来てないと解けない問題が多いし」

「油断は禁物よ。時事問題が出ることも十分考えられるわ」

「ジジイ……問題？」

「時事問題。近年に起きた政治や経済における事象のことよ。教科書に載っている問題だけが出題されるとは限らないということ」

「うげ、そんなの反則だろ！　テスト範囲の意味ねーじゃん！」

「それも含めて勉強よ」

「急に地理が嫌いになって来た……」

確かに時事問題の可能性は排除しきれないが、それは今回目を瞑ってもいいだろう。出るかも分からない部分を気にしすぎて、拾えるところを逃したら大損だ。

「急いだ方がいいんじゃないか？」

あれこれ話している間にも、刻一刻と時間は過ぎていく。

「そうね。誰かさんが遅れてきて、貴重な時間が削られたから」

「……まだ責めるか」

「私から皆に問題ね。帰納法を考えた人物の名前は、なんでしょーか？」

「えーっと……さっきの授業で習った奴だよな？　確か……」

うーんと頭を捻りながら、池が指先でシャーペンを回す。

「あぁアレだ。アレ。すげぇ腹の減る名前だった気がすんだよな」

「フランシスコ・ザビエル！　……っぽいヤツ、だろ？」

須藤も答えが出なかったのか、ちょっと惜しかった。

「思い出した。フランシス・ベーコンだ！」

「正解っ」

「うっし！　これで満点確実だな！」

「いや、全然だろ……」

とは言え、あと一週間、必死に詰め込めば、なんとか全員赤点を免れそうだ。

「皆、体調だけは崩さないようにしてね。勉強する時間も減っちゃう」

櫛田にも余裕がないことは分かっているのだろう、そう言った。

「大丈夫よ。この3人なら」

「さすが堀北ちゃん。俺たちのことを信用してくれてる感じ⁉」

それは多分『バカは風邪ひかない』的なニュアンスで言ったんだと思うぞ。

「おい、ちょっとは静かにしろよ。ぎゃーぎゃーうるせぇな」

隣で勉強していた生徒の一人が顔をあげた。

「悪い悪い。ちょっと騒ぎ過ぎた。問題が解けて嬉しくってさ～。帰納法を考えた人物はフランシス・ベーコンだぜ？　覚えておいて損はないからな～」

池はへらへらと笑いながら、そう言う。

「あ？　……お前ら、ひょっとしてDクラスの生徒か？」

隣の男子たちが一斉に顔をあげ、オレたちを見回す。その様子が癪に障ったのか須藤が半ばキレて口調を強張らせた。

「なんだお前ら。俺たちがDクラスだから何だってんだよ。文句あんのか？」

「いやいや、別に文句はねえよ。俺はCクラスの山脇だ。よろしくな」

ニヤニヤと笑いながら、オレたちを見回す山脇。

「ただなんつーか、この学校が実力でクラス分けしててくれてよかったぜ。お前らみたいな底辺と一緒に勉強させられたらたまんねーからなぁ」

「なんだと！」

真っ先に怒りで立ち上がったのは、言うまでもなく須藤。

「本当のことを言っただけで怒んなよ。もし校内で暴力行為なんて起こしたら、どれだけポイント査定に響くか。おっと、お前らは失くすポイントもないいんだっけか。てことは、退学になるかもなぁ？」

「上等だ、かかって来いよ！」

須藤が吠えるたびに、静かな図書館、周囲から嫌でも注目を浴びてしまう。

このまま事態がひどくなれば教師の耳に入ることだってあるだろう。

「彼の言う通りよ。ここで騒ぎを起こせば、どうなるか分からない。最悪退学させられることだって、あると思った方がいいわ。それから私たちのことを悪く言うのは構わないけれど、あなたもCクラスでしょう？　正直自慢できるようなクラスではないわね」

「C～Aクラスなんて誤差みたいなもんだ。お前らDだけは別次元だけどなぁ」

「随分と不便な物差しを使っているのね。私から見ればAクラス以外は団子状態よ」

へらへらと笑っていた山脇が、少しだけ堀北を睨んだ。

「1ポイントも持ってない不良品の分際で、生意気言うじゃねえか。顔が可愛いからって何でも許されると思うなよ？」

「脈絡もない話をありがとう。私は今まで自分の容姿を気に掛けたことはなかったけれど、あなたに褒められたことで不愉快に感じたわ」

「っ！」

机を叩き、山脇が立ち上がる。

「お、おい。よせって。俺たちから仕掛けたなんて広まったらやばいぞ」

山脇に同席しているCクラスの生徒が、慌てて袖を掴み抑える。

「今度のテスト、赤点を取ったら退学って話は知ってるだろ？　お前らから何人退学者が出るか楽しみだぜ」

「残念だけど、Dクラスからは退学者は出ないわ。それに、私たちの心配をする前に自分たちのクラスを心配したらどうかしら。驕っていると足元をすくわれるわよ」

「く、くくっ。足元をすくわれる？　冗談はよせよ」

「俺たちは赤点を取らないために勉強してるんじゃねえ。より良い点数を取るために勉強してんだよ。お前らと一緒にするな。大体、お前ら、フランシス・ベーコンだとか言って喜んでるが、正気か？　テスト範囲外のところを勉強して何になる？」

「え？」

「もしかしてテスト範囲もろくに分かってないのか？　これだから不良品はよぉ」

「いい加減にしろよ、コラ」

須藤はもうキレる寸前なのか、既にキレてしまったのか、山脇の胸倉を掴み上げた。

「お、おいおい、暴力振るう気か？　マイナス食らうぞ？　いいのか？」

「減るポイントなんて持ってねーんだよ！」

須藤が腕を引いた。やばい、こいつマジで殴り飛ばすつもりだ。

さすがに止めなければならないと、オレが椅子を引いた直後――。

「はい、ストップストップ！」

そう言ったのは、この図書館で勉強していたと思われる女子生徒の一人だった。

思わぬ登場人物に、須藤の手が止まる。

「んだ、テメェは、部外者が口出すなよ」

「部外者？　この図書館を利用させてもらってる生徒の一人として、騒ぎを見過ごすわけにはいかないの。もし、どうしても暴力沙汰を起こしたいなら、外でやってもらえる？」

淡々と正論をぶつけるストロベリーブロンドの美女に、須藤は山脇から手を離した。

「それから君たちも、挑発が過ぎるんじゃないかな？　これ以上続けるなら、学校側にこのことを報告しなきゃいけないけど、それでもいいのかな？」

「わ、悪い。そんなつもりはないんだよ、一之瀬」

一之瀬、と山脇に呼ばれた少女は、前に一度だけ見かけたことがあったことを思い出す。星之宮先生と話していた、Ｂクラスの生徒だ。

「おい行こうぜ。こんなところで勉強してたらバカが移るし」

「だ、だな」

山脇たちは吐き捨てるように言ってこの場を去って行った。

「君たちもここで勉強を続けるなら、大人しくやろうね。以上っ」

颯爽と去っていく姿を見送った後、オレは感心したように頷いた。

「堀北と違って、しっかりとこの場を治めていったな」

「私は乱したつもりはないわ。ただ本当のことを言っただけよ」

それが場を乱すキッカケになったんだけどな……。

「ねえ……さっきテスト範囲外って……言ってた、よね？」

「……どういうこと？」

オレたちは顔を見合わせる。

茶柱先生から聞いたテスト範囲には、大航海時代が入っている。

それはオレも堀北もメモしていたから間違いない。

「クラスでテストが違う、ってことなのかな？」

「それは考えにくいわね……学年で統一されているはずよ」

堀北の言うように、五科目の中間、期末テストは基本的に同学年全て同じ問題が出題されるはずだ。そうでなければポイント制度への反映も曖昧な基準になってしまう。

だとしたら、Cクラスだけが早くにテスト範囲の変更を知らされていた？

あるいは、オレたちDクラスにだけ伝えられていなかったか……。

思いがけない情報に、オレたちは混乱せずにはいられなかった。

もしも本当に社会のテスト範囲が違ったのだとしたら。

……いや……。社会だけが間違っていたのなら、最悪何とかなる。

だけど、もしもすべてのテスト範囲が違っていたとしたら。

オレたちはこの一週間無駄な時間を過ごしてきたことになってしまう。

3

昼休みが終わるまで、後10分を切った。

オレたち勉強会のメンバーは勉強を切り上げ、全員で職員室へと足早に向かった。兎にも角にも、テスト範囲が正しいのかを確認しなければ前に進めない。

「先生。急ぎ確認したいことがあります」

「随分と物々しい様子だな。他の先生たちが驚いてるぞ」

「大勢で押しかけたことはお詫びします」

「それはいいが、ちょっと取り込み中だ。手短に頼む」

教師には教師でやることがあるのか、何やらノートに書き記していた。

「先週茶柱先生から伺った中間テストの範囲ですが、それに間違いはありませんか？先ほど、Cクラスの生徒からテスト範囲が違うと指摘を受けましたので」

茶柱先生は眉ひとつ動かすことなく、堀北の話に耳を傾ける。そして黙って聞いていた茶柱先生の、ペンを動かす手が止まった。

「……そうか、中間テストの範囲は先週の金曜日に変わったんだったな。悪いな、お前たちに伝えるのを失念していたようだ」

「な――――!?」

ノートにサラサラと五科目分のテスト範囲と思われる部分を書き出し、ページを切り取ると堀北へと手渡した。そこに書かれた教科書のページ数は既に授業で習っていた場所だったが、勉強会を開く以前の部分が大半で、須藤たちは殆ど学習していない。

「堀北、お前のお陰でミスに気付くことが出来た。皆も感謝するように。以上」

「ちょ、ちょっと待ってくれよ佐枝ちゃん先生！　遅すぎるぜそんなの！」

「そんなことはない。まだ一週間ある、これから勉強すれば楽勝だろう？」

悪びれることもなく茶柱先生はそれだけ言うと、オレたちを職員室から追い出そうとした。だが、素直に従う生徒は誰一人いなかった。

「これ以上居座ったところで、事態は変わらない。それくらいは分かるだろ？」

「……行きましょう」

「で、でもよぉ堀北ちゃん！　こんなの、納得できないって！」

「先生の言うように、こうしていても時間の無駄よ。それよりも、新しいテスト範囲の勉強を少しでも早く始めた方がいい」

「けど！」

堀北は踵を返し、職員室を出る。渋々だが須藤たちもその後に続いた。茶柱先生は一度もこちらに目を向けることをしなかった。そこには生徒に対する申し訳ないと言う思いも、ミスをした焦りもなかった。何より、一部の教師たちには今の話が聞こえていたはず。ある種一大事とも取れる担任のミスにもかかわらず、反応を示そうとしない。一瞬、茶柱先生の向かいの席に居る星之宮先生と目が合った。薄く微笑み、ひらひらと手を振る。

こりゃあ、何かあるな。ただテスト範囲を伝え忘れていた、ってだけじゃなさそうだ。

廊下に出ると、もうすぐ午後の授業が始まることを知らせる予鈴が鳴った。

「櫛田さん。少しお願いがあるのだけれど」

「ん？　なにかな？」

「新しいテスト範囲のことを、Ｄクラスの皆に知らせて欲しいの」

そう言い、先生から受け取った紙を櫛田に手渡した。

「それはいいけど……私でいいの？」

「この中であなたが一番の適任者であることは、議論するまでもないこと。テスト範囲を勘違いしたままテストを迎えるわけにはいかないの」

「うん、わかった。私が責任を持って平田くんたちに伝えておくね」

「私は明日以降に備えて、新しいテスト範囲から更に絞り込みをするわ」

堀北は努めて平静を装っていたが、僅かに焦りがにじみ出ているのが分かった。必死に勉強した部分は無駄になり振り出しに戻された。時間も一週間しか残されていない。

何より心配なのは、須藤や池たちトリオのモチベーションだろう。

「堀北。お前には苦労かけるけどよ、頼むわ」

須藤は、頭を下げながら堀北にそう言った。

「俺……明日から一週間、部活休む。それで何とかなるか？」

「……それは……」

残された一週間という時間を考えれば、それは必要不可欠、冷静な判断だ。

願ってもない申し出に驚く堀北だったが、俄かには受け入れがたいようだった。

「本当に構わないの？　凄く、苦労することになるわ」

「勉強は苦労するもの、だろ？」

ニヤリと笑い、須藤は堀北の肩を叩いた。

「須藤、本気かよ？」

「ああ。今すげぇムカついてんだ。担任にも、Ｃクラスの連中にも」

不幸中の幸い、とでも言おうか。追い込まれに追い込まれたことで、須藤が初めて勉強に対して前向きな姿勢を見せた。やらなければテストを乗り切ることが出来ない。そう肌で感じたのだろう。そして須藤を見ていた池や山内も、それに触発された。

「仕方ない、俺たちもやるぜ」

「分かったわ。あなたたちにその覚悟があるなら、協力するわ。だけど須藤くん――」

パン、と肩に置かれた手を、堀北は容赦なく振り払った。

「私の身体に触らないで。次に同じことをしたら、容赦しないから」

「……可愛くねー女……」

「絶対に見返してやろうぜ！」

「私もやるよっ！」

櫛田も、俄然やる気を出したのか、握りこぶしを前に突き出した。

「綾小路くんも一緒にがんばろうね！」

「え？　いや、オレは――」

「もしかして……もう、勉強する気なくなっちゃったとか？」

「……ちょっと考えるかな……」

「あなたは私に協力する約束をしたはず。違う？」

しっかりと聞かれてしまったのか、堀北に睨まれる。

「オレは人にモノを教えるのは得意じゃない。人には向き不向きがあるだろ？」

正直、勉強を教えるって意味じゃオレなんかより、堀北や櫛田の方が向いている。

誰かに教えられるほど、オレは『出来た』人間じゃない。

「そういや、綾小路はテストの点数、そんな良くないんだよな？」

「時間が無いし、マンツーマンで教えるよりも堀北と櫛田で協力して3人に教えた方が遥かに効率がいいはずだ。それに、少し気になることもあるしな」

「気になること？」

職員室での一連の流れは、見過ごすには大きすぎる要素だ。

4

昼休みになると、オレはすぐに席を立った。ある目的のために。そして食堂へ向かう。

「どこに行くのっ？」

そそくさとＤクラスを後にしたオレの様子が気になったのか、櫛田が跡を付けてきていた。ひょっこりと前に回り込み、前かがみでオレを見上げた。

「昼だから、飯食おうと思って」

「ふぅん。私も一緒していい？」

「別に、それはいいけど。櫛田なら相手は幾らでもいるだろ」

「一緒にご飯を食べる友達は沢山いるけど、綾小路くんは一人だけだからね。それにいつもなら堀北さんに声をかけるのに、今日はそうじゃなかったから。昨日さ、気になることがあるって職員室で言ってたよね。アレって何だったの？」

相変わらず、周囲の話をよく聞いてると言うか観察していると言うか。正直、誰かが居るとやり辛い、そう思ったんだが、櫛田の場合は大丈夫か。オレはこいつの秘密を偶然知ってしまっている。下手なことはしないだろう。

「教えてやってもいいけど、他言しないと約束できるか？」

「秘密にするのは得意だからっ」

オレは櫛田と共に、食堂に向かうことにした。やがて、食堂、混雑する食券売り場の前までたどり着く。そして列に並び二人分の券を購入すると、オレはカウンターに並ばず券売機横まで移動し、メニューを買う生徒たちの指先に視線をやった。

「どうしたの？」

　突如観察を始めたオレに不思議そうに首を傾げる櫛田。

「これがオレの気になってたことの、答えに繋がる可能性がある」

　オレは券売機で定食を買っていく生徒たちを見つめ続けた。そして目的の生徒は、20人ほど待った時に現れた。ある定食を購入し、重い足取りでカウンターへ向かう生徒。

「よし、オレたちも行くぞ」

「ん？　うん」

　足早にカウンターで券の定食と引き換え、オレは足取り重い生徒の前に腰を下ろした。

「あの、すいません。先輩……ですよね？」

「……え？　なんだお前」

　静かに顔を上げた生徒は、興味なさそうにオレを見上げた。

「二年ですか？　三年ですか？」

「三年だけど。それがなんだよ、お前一年だな？」

「Dクラスの綾小路って言います。多分先輩も、Dですよね？」

「……それがお前に関係のあることか？」

　どうしてわかったの？　と櫛田が目で驚いていた。

「無料で食べられる定食は限られてますから。美味しくないですよね、それ」

先輩が食べているのは、山菜定食。

「何なんだよ、鬱陶しいな」

トレイを持って立ち上がろうとしたので、呼び止める。

「少し相談があるんです。聞いて頂けたら、お礼もするつもりです」

「……礼？」

食堂は混雑していて、オレの小さな声は周囲の喧騒にかき消される。

近くの生徒たちも、幸い友達との談笑に夢中なようだった。

「一昨年の一学期、中間テストの問題を持ってませんか？　もし先輩、あるいは先輩のクラスメイトの中に過去問を持ってる人が居るなら、それを譲ってもらいたいんです」

「お前、自分が何を言ってるのか分かってるのか？」

「別に不思議なことじゃないでしょう。過去の問題を有益に利用することは、別に学校のルールには反しないと思いますけど」

「何で俺なんかに、そんな話を持ってきた」

「簡単ですよ。ポイント不足に困っている人なら、相談に乗ってくれる確率が高いと思ったからです。事実、先輩はこうして美味しくない山菜定食食べてますし。もちろん、山菜が好きで食べてるってなら話は別ですけど。どうですか？」

「……いくら払える」

「10000ポイント。それが上限です」

「過去問を俺は持ってない、が……持ってる奴に心当たりはある。そいつに協力を頼むなら、最低でも30000ポイント必要だ。それで用意してやってもいい」

「幾ら何でも30000ポイントは無理です。手持ちが足りません」

「あと幾ら残ってるんだ」

「……20000、です」

「なら20000……いや、15000で手を打ってやる。それ以下は無理だ」

「15000ですか……」

「知らない俺に過去問を頼み込むくらいだ、よっぽど焦ってんだろ。この学校は赤点を取った生徒には容赦なく退学を突きつける。クラスメイトも、もう何人も居なくなった」

「でしょうね。……分かりました。15000ポイント支払います」

「交渉成立だな。もちろんポイントは先に振り込んでもらうぞ」

「それは構いませんけど、もし裏切るような真似したら、先輩でも容赦しませんよ？　退学覚悟で、あらゆる手をもって報復しますんで」

「……強気だな。分かってる、ポイントの譲渡をすれば嫌でも記録は残る。後輩から巻き上げたなんて噂が広まれば、俺はタダじゃ済まないからな」

「それから先輩、15000お支払するので、オマケを一つ付けて貰えませんか。入学直後、やらされた小テスト。その解答が見たいんです」

「分かった、それもつけてやる。ま、お前の心配は無用だと思うけどな」

どうやら先輩はオレの狙いも、考えも理解している様子だった。

「ありがとうございます」

交渉成立させると先輩はそそくさと席を立った。目立ちたくないと思ったのだろうか。

「ね、ねえ綾小路くん……。今の……そんなことして、本当に大丈夫なの？」

「問題ないさ。ポイントの譲渡は学校のルール内だし。違反に問われることはない」

「それはそうかもだけど。でも過去問を貰うなんてずるいんじゃないの？」

「ずるい？　オレはそうは思わない。もし学校がそれを認めてなかったら、当然最初にそれを説明しているはずだし、それに今日の3年生を見て確信に変わったよ。こんな風に生徒同士で取引するのは珍しいことじゃない、ってな」

「え……？」

「特別驚いた素振りも無かったし、俺の存在を意外と早く受け入れた。多分交渉は初めてじゃない。一年の時の中間テストの答案用紙だけじゃなく、入学直後の小テストの答案用紙すら保存しているところを見てもほぼ間違いなさそうだ」

目を丸くして、櫛田は驚く。

「綾小路くんって、意外と思い切ったことするんだね。びっくりしちゃった」

「須藤たちの退学を阻止するための、保険って奴だな」

「けど、もし空振りだったら無駄になっちゃうね。過去問は過去問でしょ？　今年のテストとは全く無関係ってこともあると思うし」

「丸々同じ問題は出ないかも知れないけど、全く違う問題になるとも思えない。この間の小テストが、そのヒントを出してくれてたからな」

「ヒント？」

「簡単な問題の中に、一部凄く難しい問題が混ざってたのは気づいたか？」

「それは、うん。最後の方の奴だよね？　私は問題の意味すら理解できなかったな」

「後で調べてみたら、アレは高校二年、三年で習う範囲の問題だった。つまり、一年生の大半には解けるはずのない問題ってことだ。学校側がそんな解けない問題をわざわざ放り込むなんて無駄だろ？　あれには学力を計る以外で別の狙いがあったのかも知れない。もし過去の小テストで、今回と全く同じ問題が出題されていたら、どうだ？」

「……過去問を見ていたら、全問正解出来てたことになるね」

更に中間テストにも、同じように応用できることになる。

程なくして、オレの携帯に三年の先輩から添付画像が送られていた。過去問だ。

まずは小テストの方を確認する。肝心なのは最後の3問が同じなのかどうかだ。

櫛田も気になるのか、近くで携帯を覗き込んできた。

「どう？　どう？」

「同じだ。一語一句違わない。一昨年のテストとオレたちが受けたテストは同じ内容だ」

「凄い凄い！　じゃあ、この過去問を皆に見せたら楽勝だね！　須藤くんたちだけじゃなくて、他の友達にも早く見せてあげようよ！」

「いや、それはよそう。須藤たちには過去問はまだ見せない」

「ど、どうして？　折角高いポイント使って貰ったのに」

「これが有効的な過去問だと聞けば、どうしても緊張が緩むし、折角の猛勉強に水を差す。何より信用しすぎるのも問題だ。中間テストも小テストのような同じ問題とは限らない上に、今年だけ違う可能性だってある」

　あくまでも、この過去問は保険の域であることを、頭に入れておかなければならない。

「じゃあこれはどうやって使うの？」

「テスト前日にこれが過去問であることをネタバラしする。そして一昨年はほぼ同じ問題、答えだったってことを一緒に教える。そしたら、皆はどうする？」

「夜、必死に机に噛り付いて過去問を暗記する！」

「そういうことだ」

　要領の悪い生徒は全ての問題を1日で覚えられないかも知れない。けど、事前に問題を把握することは難しくない。今回のテストは満点を取ることが目的じゃない。あくまでも赤点を取らずに乗り切ることが大切だ。欲張りすぎると、墓穴を掘る可能性がある。

けどこれで、Ｄクラスの生徒全員クリアできるかも知れない。

「ねえ……いつから過去問を手に入れようって考えてたの？」

「手に入れたいと思ったのは、テスト範囲が間違ってると知った時だ。もっとも、過去問が有効的だって可能性は、中間テストの話をされたときから、少し想定してた」

「えっ⁉　そ、そんな前から⁉」

「中間テストのことを話した時、茶柱先生の言い方は妙に独特だった。担任として須藤たちの成績や学習態度はしっかりと把握している。にもかかわらず、退学者を出さずに乗り切れる方法があると確信を持って話していた。つまり、絶対に助かる確実な方法があることを示していたんじゃないか、ってな」

「それが……この過去問の存在？」

勉強が得意でない須藤や池たちがこの学校に入学できたのも、その辺が絡んでいるのかも知れない。正攻法では点数を取れなくても、退学にならないための逃げ道というか、手段がちりばめられているんじゃないだろうか。今回で言う、過去問を入手することで誰でも満点に近い点数を取れる、というような。そう考えると自然と納得できてしまう。

「……綾小路くんって、何気にキレ者？」

「悪知恵が働くだけだ。内心、自分が中間テストを乗り切れる自信もなかったし。何とかして楽出来る方法がないか探してただけさ」

「ふぅん」

何か思うことがあるのか、櫛田は含みのある笑みを浮かべる。

「ひとつお願いがあるんだが、この過去問櫛田が入手したことにしてくれないか？　櫛田が仲良くなった三年の先輩から教えて貰ったことにしてほしい」

「それはいいけど……でも、綾小路くんはそれでいいの？」

「オレは事なかれ主義なんだよ。不用意に目立つことはしたくないし。それに櫛田はクラスメイトから信用されてるからな。オレが伝えるよりもよっぽどいい」

「……分かった。綾小路くんがそう言うなら」

「助かるよ。余計なことをして目立つのは避けたいんだ」

「じゃあこのことは、私たちだけの秘密、だね」

「ま、そう言うことだな」

「秘密を共有した者同士って、妙な絆っていうか信頼関係が生まれる気がしない？」

「さあ、どうかな。そうだといいな」

「ありがと」

櫛田はただ、短くそう言った。そのありがとうの意味は、告げないまま。

○中間テスト

授業が終わり、木曜日の放課後を迎える。いよいよ、明日は中間テスト本番だ。

ホームルームを終え茶柱先生が教室を出た後、櫛田はすぐに行動を起こした。

オレが先日入手した過去問を全員分コンビニでプリントアウトした紙の束を持ち教壇へ。

「皆ごめんね。帰る前に私の話を少し聞いて貰ってもいいかな？」

須藤も、櫛田の言葉に立ち止まり耳を傾ける。

この役目はオレや堀北では賄えない、彼女にしかできない仕事だ。

「明日の中間テストに備えて、今日まで沢山勉強してきたと思う。そのことで、少し力になれることがあるの。今からプリントを配るね」

櫛田は列の一番前の生徒たちに人数分の問題、解答用紙を配っていく。

「テストの……問題？　もしかして櫛田さんが作ったの？」

堀北も当然寝耳に水、驚いた様子を見せる。

「実はこれ、過去問なんだ。昨日の夜、三年の先輩から貰ったの」

「過去問？　え、え？　これ、もしかして結構使える問題？」

「うん。実は一昨年の中間テスト、これとほぼ同じ問題だったんだって。だからこれを勉強しておけば、きっと本番で役に立つと思うの」

「うおお！　マジかよ！　櫛田ちゃんサンキュー！」

感激してテスト用紙を抱きしめる池。他の生徒も皆、突如舞い降りた幸福に興奮を抑えきれない様子だった。

「何だよ、こんなんがあるなら勉強、無理して頑張らなくても良かったなあ」

ヘラヘラと笑いながら、山内がこぼす。やっぱり前日にして正解だった。

「須藤くんも、今日はこれで勉強しておいてね」

「おう。助かるぜ」

須藤も嬉しそうに過去問を受け取った。

「これは他のクラスの奴らには内緒だぜ！　全員で高得点とってびびらせようぜ！」

調子に乗って池が叫ぶが、その意見には賛成だ。わざわざ他クラスに塩を送る必要はない。それから暫くして、クラスメイトたちは意気揚々と帰路につき始めた。

「櫛田さん。お手柄ね」

珍しく、堀北が素直に人を褒めた。

「えへへ、そうかな？」

「過去問を利用するという考えは私の中には無かったから。それが有効だと言うことを調べてくれたことにも感謝するわ」

いつも一人、友達がいない堀北からすれば、想像の外だったようだ。

「友達のためだもん。別に普通だよ」

「それに、今日の放課後に発表してくれたことも正解だったと思う。不用意に過去問の存在を話したりしたら、勉強への集中力が欠落してしまう可能性もあったから」

「入手した時間が遅かったからだけなんだけどね。後は明日のテストで、同じ問題が沢山出てくれれば……全員凄い点数とっちゃうかもっ」

「そうね。それに、この2週間の頑張りもけして無駄ではなかったはず」

須藤たち赤点組にとっては、とてつもなく長い2週間だっただろうけど、勉強する集中力と習慣は少し身に着いたことだろう。

「大変だったけど、楽しかったね」

「あのトリオからすれば、少しも楽しくはなかっただろうけどな」

やれるだけのことはやった。後は、三人の頑張り次第と言うことだ。

「テスト本番で、頭が真っ白にならないことを祈るだけね」

その部分だけは、オレたちではカバーのしようがない。どれだけ教え込んで、勉強会では発揮できたとしても、本番で実力通りに出来るとは限らない。肝心の過去問だって、利用の仕方ひとつで効果は変わる。

「それじゃ、私たちも帰ろっか」

鞄にノートと教科書をしまう櫛田を、静かに見つめる堀北。

「櫛田さん」

「んっ？」

「本当に今日までありがとう。あなたが居なければ、勉強会は成立しなかった」

「気にしないでいいよ～。クラスの皆と一緒に、一つでも上のクラスを目指したい。私はそう思うから。だからこの勉強会に賛同したの。また、いつでも力を貸すねっ」

そして、笑顔で立ち上がり、鞄を手にする櫛田。

「待って。一つだけ、あなたに確認したいことがあるの」

「確認したいこと？」

「もし、これからもあなたがクラスのために私に協力してくれると言うなら、どうしても確認しておかなければならないことよ」

堀北は、ただ真っ直ぐ、笑顔の眩しい櫛田を見つめて言った。

「あなたは私のことが嫌いよね？」

「おいおい……」

何を確認するのかと思ったら、またとんでもないことを。

「どうしてそう思うの？」

「そう感じるから、としかその質問には答えられないけれど……間違ってる？」

「……あはは、参ったな」

鞄を持ち上げた手をゆっくりと下ろす。そして変わらぬ笑顔を堀北へと向けた。

「そうだね。大っ嫌い」

そして、そうはっきりと伝えた。隠すことなく、真っ直ぐに。

「理由、話した方がいい？」

「……いいえ。必要ない、その事実が分かれば十分よ。これからは気兼ねなくあなたと付き合っていくことが出来そう」

大嫌いだと正面から言われたにもかかわらず、堀北はそう櫛田に答えた。

1

「欠席者は無し、ちゃんと全員揃っているみたいだな」

朝、茶柱先生が不敵な笑みを浮かべながら教室へやって来た。

「お前ら落ちこぼれにとって、最初の関門がやって来たわけだが、何か質問は？」

「僕たちはこの数週間、真剣に勉強に取り組んできました。このクラスで赤点を取る生徒は居ないと思いますよ？」

「随分な自信だな平田」

　他の生徒たちの表情にも自信が窺える。先生はトントンとプリントの束を揃え、配り出す。一時間目のテストは社会。勉強した中では容易い部類の教科と言える。

　ここで躓くようじゃ、正直後の科目は厳しい戦いになる。

「もし、今回の中間テストと7月に実施される期末テスト。この二つで誰一人赤点を取らなかったら、お前ら全員夏休みにバカンスに連れてってやる」

「バカンス、ですか」

「そうだ。そうだなぁ……青い海に囲まれた島で夢のような生活を送らせてやろう」

　夏の海ってことは……当然女の子たちの水着が見れる……。

「な、なんだこの妙なプレッシャーは……」

　茶柱先生が、生徒（主に男子）から発せられる気迫に一歩後退した。

「皆……やってやろうぜ！」

『うおおおおおおおおおおおおお！』

　池のセリフにクラスメイトの咆哮が続く。オレも、どさくさにまぎれて盛大に叫んだ。

「変態」

　堀北に一瞥され、すぐに喉から声が出なくなったが。

　やがて全員にプリントが回って来る。そして教師の合図と共に一斉に表へと返した。

　オレは、問題を解くのを後回しにし、全ての問題に目を通していく。三人に教え込んだ範囲で、赤点をクリアできるのか否か。何より過去問と同じ、類似した問題がどれだけ残されているのか。それを確かめなければならない。

――よし。


オレは小さくガッツポーズを作った。怖いくらいに、過去問と同じ問題が並んでいる。

少なくとも一見しただけでは、違いが見つけられないほどだ。

丸暗記していれば、満点に近い得点をたたき出せることは明白だった。

悟られない程度に周囲を見渡してみても、焦ったり困惑する様子の生徒は見受けられない。生徒の多くが一夜漬けで過去問を仕上げたんだろう。

オレの方も、ゆっくりと問題に答えを当てはめていく。

二時間目、三時間目と、国語と理科のテストが続く。それにしても、とオレは問題を解きながら別のことに感心していた。こうして改めてテストの問題を見ると、堀北が教えていた範囲がかなり的中している。それだけ的確に授業を把握し、問題を予想していたことになる。隣で黙々と答えを解き続ける少女は、想像以上に優秀だ。

そして四時間目。数学。レベル的には小テストよりも遥かに難易度が高い問題がずらりと並んでいるが、これも過去問と相違ない内容だ。須藤たちは、一部の問題は問題文の意味すら理解できないかも知れないが、それでも答えを覚えていれば当てはめられる。

そして迎えた休み時間。

オレたち勉強会のメンバー、池と山内、櫛田が堀北の周りに集まった。

「楽勝だな！　中間テストなんて！」

「俺120点取っちゃうかも」

第一声は池の、余裕の言葉。山内も手ごたえはばっちりなのか、笑顔だ。

二人は笑いながらも、最後の復習のため、手には過去問を持っている。

「須藤くんはどうだった？」

一人机に座って過去問を凝視する須藤に声をかける櫛田。

だが須藤の顔は暗く、ジッと問題を食い入るように見ている。

「須藤くん？」

「……あ？　わりぃ、ちょい忙しい」

言いながら見ている問題は、英語の過去問だった。薄ら額に汗が浮かんでいる。

「須藤、お前もしかして……過去問勉強しなかったのか？」

「英語以外はやった。寝落ちしたんだよ」

少しイライラしながら、須藤が言う。つまり、今初めて過去問に目を通している。

「ええっ!?」

つまり須藤に残された時間は休み時間の10分弱のみ。

「くそ、なんか全然答えが頭に入らねぇ」

英語はこれまでのテストと違い暗記も容易くはない。10分程度ですべての答えを覚えるなんてことはまず無理だろう。

「須藤くん、点数の振り分けが高い問題と答えの極力短いものを覚えましょう」

堀北はすぐ席を立ち、須藤の隣についた。

「お、おう」

そして点数の低い問題を切り捨て、高得点、分かりやすい部分で稼ぎにいく。

「だ、大丈夫かな?」

邪魔はしない方がいいだろうと、櫛田は不安そうに見守る。

「日本語と違って、英語は基礎が出来てないと呪文みたいに見えるからな。それを覚えるのは時間がかかる」

「だ、だよな。俺も英語には苦労したぜ……」

10分の休憩時間は、瞬く間に過ぎ去り、無情にもチャイムが鳴る。

「やれることはやったわ。後は忘れないうちに、覚えている問題から解いて」

「ああ……」

そして始まる英語のテスト。他の生徒たちは穏やかに挑む中、須藤は苦しんでいた。時折須藤が頭をコツンコツンと机にぶつけペンを持つ手が止まる。だが、もう誰にも手を貸すことは出来ない。須藤が自分自身で、赤点を乗り越えるしか手立てはないのだ。

2

最後のテストが終わった後、オレたちは再び須藤の周りに集まっていた。

「な、なあ大丈夫だったか？」

池が不安そうに声をかける。須藤はやや冷静さを欠いているように見えた。

「わかんねえ……やれることはやったけどよ、俺、自己採点なんて出来ねえしな……」

「大丈夫だよ。今まで一生懸命勉強だってしたし、きっと上手くいくよ」

「くそ、何で寝ちまったかな、俺はよ」

自分に苛立ち貧乏ゆすりを見せる。そんな須藤の前に堀北も姿を見せた。

「須藤くん」

「……なんだよ。また説教か？」

「過去問をやらなかったのは、あなたの落ち度よ。でも、テストまでの勉強期間、あなたはあなたなりにやれることをやってきた。手を抜かなかったことも分かってる。精一杯の力を振り絞ったのなら胸を張っていいと思うわ」

「んだよそれ。慰めのつもりか？」

「慰め？　私は事実を言っただけ。今までの須藤くんを見れば、どれだけ勉強することが大変だったかはわかるもの」

堀北が素直に須藤を褒めている。オレたちはその光景が信じられず顔を見合わせた。

「結果を待ちましょう」

「ああ……そうだな」

「それから……一つだけ。あなたに訂正しておかなければならないことがあるの」

「訂正？」

「私は前に、あなたにバスケットのプロを目指す事は愚か者のすることだと言ったわ」

「んなこと、今思い出させるかよ」

「あれからバスケットのことを、その世界でプロになるのがどういうことなのか私なりに調べてみたわ。そしてやはりそれは、険しい茨の道であることが分かった」

「だから俺に諦めろって言うのかよ。無謀な夢だって」

「そうじゃない。あなたはバスケットに情熱を注いでいる。そのあなたが、プロになることの難しさを、生活していくことの大変さをわかっていないはずがない」

態度こそいつものままだが、それは紛れもなく堀北の不器用な謝罪だった。

「日本人でも、沢山プロの世界で戦っている人たちがいる。そして、その中には世界で戦おうとしている日本人もいる。あなたは、その世界を目指すつもりなのね」

「ああ。どれだけバカにされたって俺はバスケでプロを目指す。それがバイト以下の極貧生活になるとしても、俺はやり遂げて見せる」

「私は自分以外のことを理解する必要はないと思っていた。だから最初あなたがバスケットのプロを目指すと言った時、侮辱する発言をしたわ。けど今は後悔してる。バスケットの難しさ、大変さを理解していない人間が、その夢をバカにする権利なんてありはしないと。須藤くん、勉強会で培った努力や頑張りを忘れず、バスケットに活かして。そうすれば、あなたはプロになれるのかも知れない。少なくとも私はそう感じたわ」

堀北は表情こそいつもとほとんど変わらなかったが、ゆっくりと頭を下げた。

「あの時はごめんなさい。……私が言いたかったのはそれだけ。それじゃ」

そう謝罪の言葉を言い残し堀北は教室を後にする。

「な、なあ見たか今の。あの堀北が謝ったぞ!? それもすげぇ丁寧に！」

「信じられねえ……！」

池と山内が二人で驚くのも無理はない。オレだってちょっと驚いてる。櫛田もそうだ。

それだけ須藤が頑張ったことを、堀北が認めた証明でもあるのだろう。

須藤は椅子に座ったまま、茫然と堀北の消えた教室の扉を見ていた。

暫くして、慌てたように自分の心臓に右手を当て、焦った様子でオレたちに振り返る。

「や、やべえ……俺……堀北に惚れちまったかも……」

○始まり

教室に足を踏み入れた瞬間、茶柱先生は驚いたように生徒たちを見回した。生徒たちが、中間テストの結果発表を固唾を呑んで待っていたため、只ならぬ気配が蔓延していた。

「先生。本日採点結果が発表されると伺っていますが、それはいつですか？」

「お前はそこまで気負う必要もないだろう平田。あれくらいのテストは余裕のはずだ」

「……いつなんですか」

「喜べ、今からだ。放課後じゃ、色々と手続きが間に合わないこともあるからな」

手続き、と言う単語に、一部の生徒は敏感に反応する。

「それは……どういう意味でしょうか？」

「慌てるな。今から発表する」

例のごとく、この学校は詳細をまとめて告知する形式なのだろう。

生徒の名前と点数の一覧が載せられた大きな白い紙が黒板へと貼り出される。

「正直、感心している。お前たちがこんな高得点を取れるとは思わなかったぞ。数学と国語、それに社会は同率の1位、つまり満点が10人以上もいた」

100と言う数字が並び、生徒たちからは喜び、歓喜の声が上がる。だが一部の生徒には笑顔はない。肝心なのは須藤の英語の点数、ただそれだけだ。

　そして――。

　出て来た紙……そこに書かれていた須藤のテスト結果は、五科目中四科目は、60点前後と、かなりの高得点をたたき出している。肝心の英語の点数は、39点。

「っしゃ!!」

　思わず、須藤は立ち上がり叫んだ。池や山内たちも同時に立ち上がり喜ぶ。

　赤点のラインを示す線も見当たらない。オレは櫛田と目を合わせ、とりあえずホッとした。堀北は……その顔に笑みや喜びこそ無かったが、内心安堵している様子でもあった。

「見ただろ先生！　俺たちもやるときはやるってことですよ！」

　池がドヤ顔を決める。

「ああ、認めている。お前たちが頑張ったことは。だが――」

　茶柱先生は赤いペンを手に持つ。

「あ……？」

　須藤の口から、そんな気の抜けた声が漏れた。

　須藤の名前の上に一本の赤いラインが引かれていく。

「な、何だよ。どういうことだよ」

「お前は赤点だ須藤」

「は？　ウソだろ？　ふかしてんじゃねえよ、なんで俺が赤なんだよ！」

茶柱先生の通達に、真っ先に反論したのは勿論須藤だ。

喜びから一転、須藤の赤点扱いに、騒然となっていく教室。

「須藤。お前は英語で赤点を取ってしまった。ここまでということだ」

「ふざけんなよ赤点は31点だろうが！　クリアしてるだろ！」

「誰がいつ、赤点は31点だと言った」

「いやいや、先生は言ってたって！　なぁみんな!?」

池も須藤をフォローしようと叫ぶ。

「お前らが何を言っても無駄だ。これは紛れもない事実。今回の中間テスト、その赤点のラインは40点未満だ。つまり1点足りなかったということだ。惜しかったな」

「よ、40!?　聞いてねえよ！　納得できるかよ！」

「なら、お前にこの学校の赤点の判断基準を教えてやろう」

茶柱先生は黒板に簡単な数式を書いていく。

そこに書かれたのは、79・6÷2＝39・8という数字。

「前回、そして今回の赤点基準は、各クラス毎に設定されている。そしてその求め方は平均点割る2。その答え以上の点数を取ること」

つまり、39・8以下は赤点という判断が下されたということだ。

「これで、お前が赤点だと言うことは証明された。以上だ」

「ウソだろ……俺は……俺が、退学、ってことか？」

「短い間だったがご苦労だったな。放課後退学届けを出してもらうことになるが、その際には保護者も同伴する必要があるからな。この後私から連絡しておく」

淡々と、まるで何気ない報告のように進めていく姿を見て、ようやく生徒たちはこれが本当のことなんだと実感していく。

「残りの生徒はよくやった。文句なく合格だ。次の期末テストでも赤点を取らないよう精進してくれ。それじゃあ、次だが──」

「せ、先生。本当に須藤くんは退学になるんですか？　救済措置はないんですか？」

須藤を真っ先に気に掛けたのは、平田だった。

須藤からは嫌われ、半ば暴言に近いことを言われていたにもかかわらずだ。

「事実だ。赤点を取ればそれまで。須藤は退学にする」

「……須藤くんの答案用紙を、見せて貰えないでしょうか」

「見たところで、採点ミスはないぞ？　ま、抗議が出ることは予想していた」

須藤の英語の解答用紙だけ持参していたのか、それを平田へと手渡す。

平田はすぐに問題へと視線を落とすが、すぐに暗い表情を見せる結果となった。

「採点ミスは……ない」

「納得がいったなら、これでホームルームを終わる」

同情やチャンスを与えることなく、茶柱先生は無情にも退学を言い渡す。池や山内たちは、慰めの言葉が逆効果だと分かっているため、言葉を口にすることが出来ずにいた。それは平田たちも同じだ。そして悲しいことに、一部の生徒はどこかホッとしているようにも思えた。それはクラスで邪魔な存在である須藤が消えてくれたことに対する喜びか。

「須藤、放課後職員室に来い。以上だ」

「……茶柱先生。少しだけよろしいでしょうか」

今まで沈黙を守っていた堀北が、スッと細い腕を挙げ、挙手をした。

これまでの学校生活で、自主的に堀北が発言をしたことは一度もなかった。

その異様な光景に、茶柱先生を始め、クラスの皆も驚きの声をあげる。

「珍しいな堀北。お前が挙手するとは。なんだ？」

「今しがた、先生は、前回のテストは32点未満が赤点だと仰いました。そしてそれは、今の計算式によって求められた。前回の算出方法に間違いありませんか？」

「ああ、間違いない」

「それでは一つ疑問が生じます。前回のテストの平均点を私が計算したところ、64・4でした。それを2で割ると、32・2になります。つまり32点を越えているんです。にもかかわらず、赤点は32点未満だった。つまり小数点を切り捨てている。今回の求め方と矛盾しています」

「た、確かに。前回の通りなら、中間テストは39点未満が赤点になる！」

つまり、39点だった須藤はまさに紙一重で赤点を回避したことになるのだ。

「なるほど。お前は須藤の点数がギリギリになることを見越していたのか。それで英語の点数だけが極端に低かったんだな」

「堀北、お前……」

須藤が何かに気づく。そしてハッとしたように、他の生徒たちも貼りだされた紙に目をやって気づく。堀北は、5科目中4科目は、全て満点の成績を取っているにもかかわらず、英語の点数だけは51点と極端に低い。明らかに異質だった。

「お前、まさか────」

須藤も気がついたようだ。

恐らく、と言うか間違いない。堀北は英語の平均点を少しでも下げるため、自らのテストの点数を可能な限り低くしていた、と言うことだ。

「もし私の考えが間違っていると思うなら、前回と今回で計算方法が違う理由を教えてください」

差し込む一筋の光。最後の希望。

「そうか。なら、もっと詳しく教えてやろう。残念だがお前の計算方法は1つ間違っている。赤点を導き出す際に用いる点数、小数点は四捨五入で計算される。前回のテストは32で扱われ、今回のテストは40で扱われる。それが答えだ」

「っ……」

「お前は内心、小数点以下が四捨五入だと気がついていたはずだ。可能性を信じて進言してきたんだろうが……残念だったな。そろそろ1時間目が始まる、私は行くぞ」

堀北は、追撃の手立てを失い黙り込んだ。茶柱先生の言葉に矛盾はない。最後の手立ても、失われたことになる。ぴしゃりと教室の扉が閉まり、静寂に包まれた。

須藤は退学の事実に困惑しながらも、自らの点数を下げてフォローしようとした堀北を見据えた。何とかして須藤の退学を阻止しようと、ギリギリまで自らの点を下げた堀北を。

「……ごめんなさい。私がもう少し、ギリギリまで点数を削るべきだったわ」

短くそう言い、堀北はゆっくりと腰を下ろした。

だが、51点と言うのは堀北からしてかなり落とした点数だ。

これを40付近まで落とせば、最悪自分が退学というリスクもあった。

「なんで……お前、俺のこと、嫌いだって言ってただろ」

「私は私のために行動しただけよ、勘違いしないで。それも無駄に終わったけれどね」

オレはゆっくりと席を立つ。

「ど、どこ行くんだよ綾小路！」

「トイレ」

そう言い、オレは教室を出ると、早歩きで職員室を目指した。茶柱先生は、もう職員室まで戻ってしまっただろうか。そう思いながらも降りた1階の廊下、窓から外を見つめジッと立ち尽くす茶柱先生がいた。まるで、誰かを待っていたように。

「綾小路か。どうしたもうすぐ授業が始まるぞ」

「先生。ひとつオレから質問させてもらってもいいでしょうか」

「……質問？　そのためにわざわざ追いかけて来たのか」

「教えて欲しいことがありまして」

「堀北に続いて、お前まで私に質問とはな。一体なんだ？」

「今の日本は、この社会は平等だと思いますか？」

「随分とぶっ飛んだ話だな。急になんだ。私がそれに答えて意味があるのか？」

「大事なことです。答えて貰えませんか」

「私なりの見解で言えば、当然、世の中は平等じゃない。少しもな」

「はい。オレもそう思います。平等なんて言葉は偽りだと」

「そんなことを聞くために追いかけてきたのか？　それだけなら私は行くぞ」

「1週間前、先生はオレたちの前でテスト範囲が変わったことを告げ、その時こう言いました。伝えるのを忘れていた、と。それは事実で、実際他のクラスよりも告知されたのは

1週間にも及ぶズレがありました」

「職員室でそう言っただろう。それがどうした」

「問題も同じ、ポイントへの反映も同じ、退学がかかっている事実も同じだったにもかかわらず、Dクラスだけが不平等な条件の元、テストを強いられたことになります」

「それに納得がいかないということか。だがいい例だ。それこそが平等じゃない社会の縮図とも言える」

「確かにこの社会は、どれだけひいき目に見ても平等じゃありません。でも、オレたち人間は考えることのできる生物です」

「何が言いたい」

「少なくとも平等に見えるようにはしなければならない、ということですよ」

「……なるほどな」

「1週間のズレが偶然なのか意図的なのか、オレにとってはどうでもいい問題です。でも、この不平等が今一人の生徒を退学に追いやろうとしている。それは事実です」

「私にどうしろと？」

「それを伺いに来ました。不平等を招いた学校側に、適切な対応を希望します」

「嫌だ、と言ったら？」

「それが正しいジャッジなのかどうか、然(しか)るべきところに確認を取るだけです」

「惜しいな。お前の言い分は確かに間違っちゃいないが、その申し出は受け入れられない。須藤は退学だ。現段階ではそれは覆らない。諦めろ」

こちらが用意した理を、茶柱先生は聞き流す。でもそこに論理が無いわけじゃない。

やはりこの人は、いつも言葉に何か含みを持たせて発言している。

「現段階では覆らない。つまり、覆る方法がある、と言うことですね」

「綾小路、私は個人的にお前を買っている。それは今回のテストに早くも現れた。過去問を入手する方法は正解の一つだ。しかし、それ自体は通常少し頭を捻れば誰にでも思いつく程度の発想、常識の範囲内に過ぎない。だが、過去問をクラス全員で共有し、テストの平均点を底上げしたのはお前が初めてだったぞ。そこに辿り着くまでのロジックこそに価値があると私は考える。素直に良くやったと褒めてやろう」

「過去問を手に入れたのも、共有したのも櫛田ですし、オレは何もしてませんよ」

「お前が表立って騒ぎたくない理由は察するが、上級生には上級生の課題がある。お前が3年生に接触していたことも、残念ながら把握済みだ」

どうやら、こっちの行動は思っているよりも遥かに筒抜けらしい。

「しかし、信頼性ある過去問を手に入れたにもかかわらず最後に詰めを誤った。それが敗因だ。もっと暗記を徹底させておけば、須藤も他科目同様赤点は取らなかっただろう。今回は素直に諦めて須藤を切り捨てておいたらどうだ？　その方が後々楽かも知れないぞ?」

「確かに……そうかも知れないすね。けど、今回は手を貸すって決めたんで。まだ諦めるには早いと言うか。試せることも残ってますし」

オレは、ポケットから学生証を取り出す。

「何のつもりだ?」

「須藤の英語、そのテストの点数を、1点売ってください」

「………」

茶柱先生は目を丸くしオレを見ると、高らかに笑った。

「はははは。面白いことを言うな、お前は。やっぱり変わった生徒だ。まさか点数を売ってくれと言いだすとは、思いもよらなかった」

「先生は入学式の日に言ったじゃないスか。この学校の中でポイントで買えないものはないと。中間テストだって、学校の中にあるものの一つですよ」

「なるほどなるほど。確かに、そういう考え方も出来なくはないな。だが、お前の手持ちで買える金額とは限らないぞ?」

「じゃあ幾らなんですかね、1点の価値は」

「それは中々難しい質問だ。私は今まで点数を売ったことは一度もないからな。そうだな……特別に今、この場で10万ポイントを支払うなら、売ってやってもいい」

「意地悪っすね、先生は」

入学してからの一月、１ポイントも使わなかった生徒は一人も居ないだろう。

つまり、実質１人で10万も持ってる生徒は、存在しないことになる。

「――――私も出します」

背後から、そんな声。振り返ると、そこには堀北が立っていた。

「堀北……」

「クク。やっぱり、お前たちは面白い存在だ」

茶柱先生はオレから学生証を取り上げる。そして、堀北からも。

「いいだろう、須藤に１点を売ると言う話、受理した。お前たちから合計10万ポイントを徴収させてもらう。須藤には退学取り消しの件、お前たちから伝えておけ」

「いいんですね？」

「10万で売ると約束したからな。仕方がない」

呆れながらも、どこか楽しそうに茶柱先生は言った。

「堀北、お前にも少しは分かったんじゃないか？　綾小路の有能さが」

「……どうでしょう。私には嫌味な生徒にしか見えません」

「何だよ、嫌味な生徒って……」

「ある程度テストで点数を取れるのに取らなかったり、過去問を入手することを思いつきながら、それを櫛田さんの手柄にしたり。点数を買うなんて暴挙を思いついたり。常軌を逸してるとしか思えない、嫌味な生徒よ」

どうやら、過去問のくだりも聞かれていたらしい。

「お前たちがいれば、あるいは。本当に上のクラスに上がれるかも知れないな」

「彼はともかく、私は上のクラスに上がります」

「過去、一度たりともDクラスが上にあがったことはない。なぜなら、お前たちは学校側から突き放された不良品だからだ。そのお前たちが、どうやって上を目指す？」

「先生。よろしいでしょうか」

堀北はブレることなく、茶柱先生を見つめ返す。

「事実、Dクラスの生徒の多くは不良品かも知れません。けれど、クズとは違います」

「クズと不良品が、どう違うと？」

「不良品かそうでないかは紙一重です。ほんの少し修理、変化を与えるだけで、それは良品へと変わる可能性を秘めている、と私は考えます」

「なるほど。堀北からそう聞かされると、妙に説得力があるから不思議なものだ」

その先生の発言には、オレも賛同だ。堀北が口にしたからこそ、意味のある言葉だった。

他人を見下し、足手まといだと決めつけていた堀北が、今変わろうとしている。

もちろん、それほど単純なことじゃない。けど、その片鱗が見えただけでも、大きな変化だ。茶柱先生もそれを感じたのか、薄く、微かにだが笑った。

「なら、楽しみにしようじゃないか。担任として、行く末を温かく見守らせてもらう」

そう言い残し、茶柱先生は職員室へと去って行った。

取り残されるオレたち。

「さて、戻るか。もうすぐ授業だ」

「綾小路くん」

「ん？　うぶっ！」

堀北は、オレの脇腹に思い切りチョップを叩きつけた。

「ってぇな、何すんだよ！」

「何となくよ」

そう言い、堀北は悶絶するオレを放置して歩き出す。

全く、厄介なクラス……厄介な奴に目を付けられたもんだ。

オレはそう思いながら、その少女の背中を追いかけることにした。

○祝勝会

「乾杯！」

池が缶ジュースを手に取り、叫ぶ。

中間テストの結果発表から一夜明けたその夜、元赤点組は一堂に集結していた。勉強から解放された喜びと、誰一人退学者が出なかったことに、堀北を除き笑顔に溢れていた。友達と苦労を分かち合い、共に試練を乗り越える。これこそが青春なのかも知れない。

たった一つの不満点を抜きにすれば、けして悪いものじゃない。

「……どうしたんだよ、そんな暗い顔して、須藤が退学にならずに済んだんだぜ？」

「祝勝会を開くことは構わないし賛成だが、なんでオレの部屋なんだろうなと思って」

「俺の部屋散らかってるし。須藤も山内も同じ理由。女の子の部屋ってわけにもいかないだろ？　いや、もちろん俺としては櫛田ちゃんの部屋とかがいいけどさ。にしても、見事なまでに何もないよな、綾小路の部屋って」

「入学してまだ二月ちょっとだぞ。何かある方が不思議だ」

日常で使うもの以外、必要なものなんて感じられない。

「櫛田ちゃんはどう思う？」

「私はいいと思うな、簡素だけど清潔感があるし」

「だってよ。良かったな櫛田ちゃんに褒められて。はははは」

思い切り私怨でオレを小突いてくる池。

「それにしても危なかったよな、今回の中間テスト。もし勉強会開いてなかったら、俺は大丈夫にしても、池と須藤は絶対アウトだったよな」

「は？　お前だってギリギリじゃねーかよ」

「いやいや、俺は本気だせば満点取れるから。マジで」

「これも皆堀北さんのおかげだよね。池くんたちに勉強を教えてくれたんだもん」

堀北は輪に加わろうとはせず、一人静かに俯いて小説を読んでいた。呼ばれたことに気づくと、栞を挟み顔をあげた。

「私はただ自分のためにやっただけ。退学者が出ると、Dクラスの評価が下がるからよ」

「ここは嘘でも、皆を退学にしたくなかったとか言っとけよ。好感度上がるぞ」

「上がらなくていいから」

まぁ、態度こそいつもと変わらないが、この集まりに参加してくれただけ進歩か。

出会った時の堀北だったなら、間違いなくこの場には来ていないはずだ。

「まぁなんだ……案外いい奴だよな、堀北は」

須藤がフォローする形で、そう言った。

堀北が須藤に謝罪して以来、すっかり須藤は堀北に対して丸くなってしまった。以前はダメとまで公言していたのに、人間変われば変わるもんだ。

「それにしても、どうやって先生に須藤くんの退学を取り消して貰えたの？」

「俺も気になってたんだよね。どんな魔法をお使いになったんでしょうか、堀北ちゃん！」

「さあ、覚えていないわね」

「うわ秘密⁉」

大げさに後ろに転んで、リアクションを取る池。

「中間テストを乗り越えたくらいで、浮かれない方がいいわよ。次に待っているのは期末テスト。今回よりも更に難易度の高い問題が予想されるわ。それに、ポイントを得るためにはプラスになる部分を探さなければならないし」

「また地獄のような勉強が始まるのか……最悪だぁ」

寝ころんだまま池は頭を抱える。

「そうならないように、今から勉強しようって考えにはならないのか？」

「ならない！」

ならないらしい。

「この学校って、よくわからないよね。クラス分けとか、ポイント制度とか」

「あーポイントなー。ポイント欲しい～。貧乏生活とか最悪だぜ～」

池と山内はポイントを使い切り、今は学校が用意した無料品で急場を凌いでいる。

「ねえ堀北さん。ポイントを入手するのって、やっぱり難しいかな？」

「中間テスト頑張ったし、がっぽりポイント入んねーかな!?」

「ちゃんとDクラスの平均点を見たの？　全クラスでダントツの最下位よ。それでポイントが貰えると思っているなら、考えを改めた方がいいわ」

ほんと、堀北は歯に衣を着せないというか容赦なく真実を突き付ける。

「じゃあ来月もポイント0かよ……トホホ……」

「節制生活を身に着けられると思って、諦めるのね」

「大丈夫だよ池くん。今はまだポイントは手に入らないけど、近いうちきっと入ってくるようになるよ。ね？　堀北さん」

「何のことかしら」

「話してもいいんじゃない？　ここにいる皆は、仲間なんだし。私と堀北さん。それから綾小路くんで、協力して一番上のクラス、つまりAクラスを目指していくことにしたの。良かったら三人にも手伝ってもらいたいな」

「Aクラスを……目指す？　え、それガチで本気？」

「うん。もちろんだよ。ポイントを増やすってことは、必然上位を目指すことでもあるし」

「や、でもさ、Aクラスは言い過ぎじゃない？　頭いい連中ばっかりなんだろ？　そんな

連中に勉強で勝つなんて、絶対無理っしょ」

テストの平均点から考えても、堀北レベルの連中がゴロゴロいるだろうな。

「勉強面だけがクラスを決めるわけじゃないと思うし。……だよね？」

「それだけとは思わないけれど、勉強出来なければ論外なのは事実ね」

明らかに戦力外の三人は、視線を逸らし露骨に口笛を吹いた。

「今はまだまだかもだけど、一緒に頑張ればうまくいくよ。絶対」

「根拠はなにかしら」

「根拠っていうか……ほら、一本じゃ折れる矢も、三本集まれば折れないって言うし」

「少なくともここにいる三人は、束になっても折れると思うわ」

「じゃ、じゃあアレだよ。三人寄れば文殊の知恵！　的な」

「三人のテストを合計して、やっと1人分だけれどね」

櫛田が三人を持ち上げるたび、堀北がそれを放り投げて叩き落とす。凄いコンビだな。

「でも反発しあっても得はないじゃない？　仲良くしておいた方が絶対いいよ」

「……そう突き詰めていけば、間違いではないけれど」

「でしょ？」

その言葉には、さすがの堀北も反論のしようはなかった。

どうせ上を目指すなら、一人でも多くのクラスメイトと仲良くしていた方がいい。

この段階で揉めていたら、とてもじゃないが戦ってはいけないだろうし。

「ということで、改めて三人には協力してもらいたいな」

「喜んで！」

池と山内は即答で手を挙げ答える。

「ま、堀北がどうしてもって言うなら手伝ってやるよ。どうなんだよ」

須藤もテレ隠しでそう言う。

「須藤くんに頼ろうと思ったことは一度もないし、手伝ってもらいたいとも思わない。そもそも、須藤くんが戦力になるとは考えにくいもの」

「ぐ……このアマ、下手に出てりゃいい気になりやがって……！」

「それで下手に出たつもりだったの？　驚いたわ」

全然驚いていないくせに。須藤は怒りつつも、拳を振り上げるような真似だけはしなかった。いやぁ、ほんとに進歩したもんだ。

「ムカつく女だぜ、お前は」

「ありがとう。褒め言葉と受け取っておくわ」

「……可愛くねえ女」

「とか言って、ほんとはどうなんだよ？」

池がからかう。その瞬間、須藤は物凄い形相で池を睨みつけ、ヘッドロックを決めた。

「いで！　いでで！　や、やめろ！」

「余計なこと言ったら絞めるぞオラ」

「も、もう絞まってる、絞まってるって！　ギブギブ！」

男同士の友情？　堀北は心底深いため息をついた。

「この学校は実力至上主義よ。きっとこれから、激しい競争が待ってるはず。もし協力すると言うなら、軽はずみな気持ちでやるのだけはよして。足手まといだから」

「まぁ腕力なら任せとけ。俺はバスケと喧嘩(けんか)には自信あんだ」

「……全然期待できないわね」

実力至上主義、か。オレは少しだけ胸の奥がざわつくのを感じた。

遠ざかったつもりだったのにな、そういう世界からは。気が付けば身を投じてしまっている。もう、呪われていると言ってもいい。

堀北は本気でAクラスを目指そうとしている。その意志はけして揺るがないだろう。

だけど、オレたちDクラスがそこにたどり着くのは、容易なことじゃない。

今ここにいる戦力だけでは、Cクラスにすら到達できないかも知れない。

だとすれば、オレはこれから先、どうしていくべきなのだろうか。

なるようにしかならない、か。ひとまずは頑張ってみることにしよう。

少なくとも……堀北が笑うところくらいは、見たいしな。

あとがき

ご無沙汰しております。衣笠彰梧(きぬがさしょうご)です。それと初めまして。

ここに登場するのは1年と少しぶりくらいでしょうか。

今回『ようこそ実力至上主義の教室へ』を執筆するに至ったのは、自分自身が学生から大人になった今だからこそ、チャレンジしてみたい題材だったからでした。

と言うのも自分が学生だった頃、思い返せば口酸っぱく勉強しろと周囲に言われ続けてきました。良い大学に行き良い企業に就職し、良い人生を送れ――。その助言は果たして正解だったのだろうかと最近になって疑問を抱きました。生憎(あいにく)と途中で道を踏み外し、家族や周囲の想像とは異なる世界に飛び込んでしまいましたが……。

もちろん勉強は大切ですし、将来役立つものであることは疑いの余地がありません。でも今回言いたいのは勉強だけが全てじゃない、と言うことです。

分かりやすい例で言えば、スポーツは学校教育の一環で推進されています。スポーツに励(はげ)む学生の中には思わぬ才能を開花させ、将来はプロ野球選手になったりバレーの選手になったりする人も大勢います。そんな風に人の個性は千差万別で、絵が上手な子がイラストレーターになったり、人を笑わせるのが得意な人が芸人になったりと、勉強とスポーツ以外にも、それこそ無限と思えるほどの己に合った天職、職業が存在します。

そんなことを考え始めた時『もっとああしておけばよかった』と、過去の自分の行動を悔いたりする、大人特有の後悔が初めて頭を過りました。そんな風に思った今日この頃。

さて、ここからは謝辞。

トモセシュンサク様。毎度毎度、お付き合い下さりありがとうございます。今回も素敵な男性キャラク……いえ、魅力あふれる男女を描いて下さり大変感謝しています。

いつも足を向けて寝ないよう注意していますので、どうぞこれからもよろしくお願いいたします。近いうち焼き肉食べに行きましょう。奢ります。食べ放題の安いヤツね！

編集のI様。執筆にあたって大変お世話になりました。前作も度々ご迷惑ご負担お掛けしてきましたが、今回はより長い時間を割いて協力して頂きました。え？　もうキツイのは勘弁してくれ？　はははご冗談を。まだまだたっぷりお付き合いして頂きます。片道切符の地獄の底まで。オチルトキハイッショダヨ？

最後に読者の皆様。読み手がいるから、書き手がいる。読んで下さる方が居なければ、そもそも自分の存在は成り立ちません。そういう意味では今作のテーマ的なところにも一役買っていただいていると言えるかも知れません。

何よりも読者の皆様に感謝しつつ、この巻の締めくくりとさせて頂ければと思います。

２０１５年もすっかり春になってしまいましたが、相も変わらず体調は万全とは言い難し。日々不眠症との戦いが続いていますが、負けずに頑張っていきたいと思います。

MF文庫J

ようこそ実力至上主義の教室へ

発行	2015年 5月31日 初版第一刷発行 2017年 8月31日 第十八刷発行
著者	衣笠彰梧
発行者	三坂泰二
発行所	株式会社 KADOKAWA 〒102-8177 東京都千代田区富士見2-13-3 0570-002-001（カスタマーサポート） 年末年始を除く 平日10:00～18:00まで
印刷・製本	株式会社廣済堂

Printed in Japan ISBN 978-4-04-067657-9 C0193
http://www.kadokawa.co.jp/

【ファンレター、作品のご感想をお待ちしています】
〒102-0071 東京都千代田区富士見2-13-12
株式会社KADOKAWA MF文庫J編集部気付「衣笠彰梧先生」係 「トモセシュンサク先生」係